사고력 수학 소마가 개발한 연산학습의 새 기준!!

소마의 **마**술같은 원리**셈**

소마셈

B1

2학년

수학이 즐거워지는 특별한 수학교실
소마에서 개발한 연산교재 소마셈

소마셈

2002년 대치소마 개원 이후로 끊임없는 교재 연구와 교구의 개발은 소마의 자랑이자 자부심입니다.
교구, 게임, 토론 등의 다양한 활동식 수업으로 스스로 문제해결능력을 키우고, 아이들이 수학에 대한 흥미와 자신감을 가질 수 있도록 차별성 있는 수업을 해 온 소마에서 연산 학습의 새로운 패러다임을 제시합니다.

연산 교육의 현실

연산 교육의 가장 큰 폐해는 '초등 고학년 때 연산이 빠르지 않으면 고생한다.'는 기존 연산 학습지의 왜곡된 마케팅으로 인해 단순 반복을 통한 기계적 연산을 강조하는 것입니다. 하지만, 기계적 반복을 위주로 하는 연산은 개념과 원리가 빠진 연산 학습으로써 아이들이 수학을 싫어하게 만들 뿐 아니라 사고의 확장을 막는 학습방법입니다.

초등수학 교과과정과 연산

초등교육과정에서는 문자와 기호를 사용하지 않고 말로 풀어서 연산의 개념과 원리를 설명하다가 중등교육과정부터 문자와 기호를 사용합니다. 교과서를 살펴보면 모든 연산의 도입에 원리가 잘 설명되어 있습니다. 요즘 현실에서는 연산의 원리를 묻는 서술형 문제도 많이 출제되고 있는데 연산은 연습이 우선이라는 인식이 아직도 지배적입니다.

연산 학습은 어떻게?

연산 교육은 별도로 떼어내어 추상적인 숫자나 기호만 가지고 다뤄서는 절대로 안됩니다. 구체물을 가지고 생각하고 이해한 후, 연산 연습을 하는 것이 필요합니다. 또한, 속도보다 정확성을 위주로 학습하여 실수를 극복할 수 있는 좋은 습관을 갖추는 데에 초점을 맞춰야 합니다.

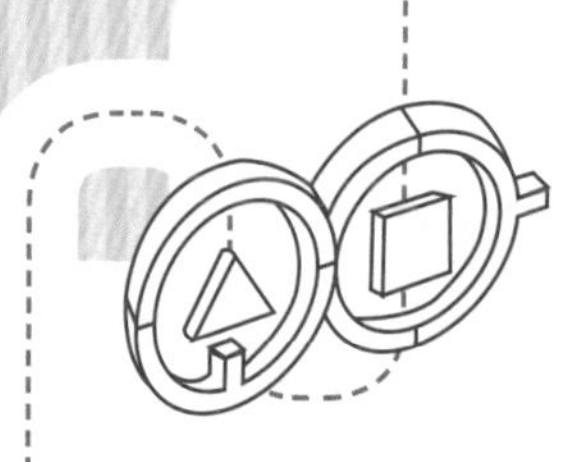

소마셈 연산학습 방법

10이 넘는 한 자리 덧셈 구체물을 통한 개념의 이해

덧셈과 뺄셈의 기본은 수를 세는 데에 있습니다. 8+4는 8에서 1씩 4번을 더 센 것이라는 개념이 중요합니다. 10의 보수를 이용한 받아 올림을 생각하면 8+4는 (8+2)+2지만 연산 공부를 시작할 때에는 덧셈의 기본 개념에 충실한 것이 좋습니다. 이 책은 구체물을 통해 개념을 이해할 수 있도록 구체적인 예를 든 연산 문제로 구성하였습니다.

가로셈 가로셈을 통한 수에 대한 사고력 기르기

세로셈이 잘못된 방법은 아니지만 연산의 원리는 잊고 받아 올림한 숫자는 어디에 적어야 하는지만을 기억하여 마치 공식처럼 풀게 합니다. 기계적으로 반복하는 연습은 생각없이 연산을 하게 만듭니다. 가로셈을 통해 원리를 생각하고 수를 쪼개고 붙이는 등의 과정에서 키워질 수 있는 수에 대한 사고력도 매우 중요합니다.

곱셈구구 곱셈도 개념 이해를 바탕으로

곱셈구구는 암기에만 초점을 맞추면 부작용이 큽니다. 곱셈은 덧셈을 압축한 것이라는 원리를 이해하며 구구단을 외움으로써 연산을 빨리 할 수 있다는 것을 알게 해야 합니다. 곱셈구구를 외우는 것도 중요하지만 곱셈의 의미를 정확하게 아는 것이 더 중요합니다. 4×3을 할 줄 아는 학생이 두 자리 곱하기 한 자리는 안 배워서 45×3을 못 한다고 말하는 일은 없도록 해야 합니다.

K단계 (5, 6, 7세) • 연산을 시작하는 단계

뛰어세기, 거꾸로 뛰어세기를 통해 수의 연속한 성질(linearity)을 이해하고 덧셈, 뺄셈을 공부합니다. 각 권의 호흡은 짧지만 일관성 있는 접근으로 자연스럽게 나선형식 반복학습의 효과가 있도록 하였습니다.

학습대상 : 연산을 시작하는 아이와 한 자리 수 덧셈을 구체물(손가락 등)을 이용하여 해결하는 아이

학습목표 : 수와 연산의 튼튼한 기초 만들기

P단계 (7세, 1학년) • 받아올림이 있는 덧셈, 뺄셈을 배울 준비를 하는 단계

5, 6, 9 뛰어세기를 공부하면서 10을 이용한 더하기, 빼기의 편리함을 알도록 한 후, 가르기와 모으기의 집중학습으로 보수 익히기, 10의 보수를 이용한 덧셈, 뺄셈의 원리를 공부합니다.

학습대상 : 받아올림이 없는 한 자리 수의 덧셈을 할 줄 아는 학생

학습목표 : 받아올림이 있는 연산의 토대 만들기

A단계 (1학년) • 초등학교 1학년 교과과정 연산

받아올림이 있는 한 자리 수의 덧셈, 뺄셈은 연산 전체에 매우 중요한 단계입니다. 원리를 정확하게 알고 A1에서 A4까지 총 4권에서 한 자리 수의 연산을 다양한 과정으로 연습하도록 하였습니다.

학습대상 : 초등학교 1학년 수학교과과정을 공부하는 학생

학습목표 : 10의 보수를 이용한 받아올림이 있는 덧셈, 뺄셈

B단계 (2학년) • 초등학교 2학년 교과과정 연산

두 자리, 세 자리 수의 연산을 다룬 후 곱셈, 나눗셈을 다루는 과정에서 곱셈구구의 암기를 확인하기보다는 곱셈구구를 외우는데 도움이 되고, 곱셈, 나눗셈의 원리를 확장하여 사고할 수 있도록 하는데 초점을 맞추었습니다.

학습대상 : 초등학교 2학년 수학교과과정을 공부하는 학생

학습목표 : 덧셈, 뺄셈의 완성 / 곱셈, 나눗셈의 원리를 정확하게 알고 개념 확장

C단계 (3학년) • 초등학교 3, 4학년 교과과정 연산

B단계까지의 소마셈은 다양한 문제를 통해서 학생들이 즐겁게 연산을 공부하고 원리를 정확하게 알게 하는데 초점을 맞추었다면, C단계는 3학년 과정의 큰 수의 연산과 4학년 과정의 혼합 계산, 괄호를 사용한 식 등, 필수 연산의 연습을 충실히 할 수 있도록 하였습니다.

학습대상 : 초등학교 3, 4학년 수학교과과정을 공부하는 학생

학습목표 : 큰 수의 곱셈과 나눗셈, 혼합 계산

D단계 (4학년) • 초등학교 4, 5학년 교과과정 연산

분모가 같은 분수의 덧셈과 뺄셈, 소수의 덧셈과 뺄셈을 공부하여 초등 4학년 과정 연산을 마무리하고 초등 5학년 연산과정에서 가장 중요한 약수와 배수, 분모가 다른 분수의 덧셈과 뺄셈을 충분히 익힐 수 있도록 하였습니다.

학습대상 : 초등학교 4, 5학년 수학교과과정을 공부하는 학생

학습목표 : 분모가 같은 분수의 덧셈과 뺄셈, 소수의 덧셈과 뺄셈, 분모가 다른 분수의 덧셈과 뺄셈

소마셈 단계별 학습내용

K단계 추천연령 : 5, 6, 7세

단계	K1	K2	K3	K4
권별 주제	10까지의 더하기와 빼기 1	20까지의 더하기와 빼기 1	10까지의 더하기와 빼기 2	20까지의 더하기와 빼기 2
단계	K5	K6	K7	K8
권별 주제	10까지의 더하기와 빼기 3	20까지의 더하기와 빼기 3	20까지의 더하기와 빼기 4	7까지의 가르기와 모으기

P단계 추천연령 : 7세, 1학년

단계	P1	P2	P3	P4
권별 주제	30까지의 더하기와 빼기 5	30까지의 더하기와 빼기 6	30까지의 더하기와 빼기 10	30까지의 더하기와 빼기 9
단계	P5	P6	P7	P8
권별 주제	9까지의 가르기와 모으기	10 가르기와 모으기	10을 이용한 더하기	10을 이용한 빼기

A단계 추천연령 : 1학년

단계	A1	A2	A3	A4
권별 주제	덧셈구구	뺄셈구구	세 수의 덧셈과 뺄셈	□가 있는 덧셈과 뺄셈
단계	A5	A6	A7	A8
권별 주제	(두 자리 수)+(한 자리 수)	(두 자리 수)-(한 자리 수)	두 자리 수의 덧셈과 뺄셈	□가 있는 두 자리 수의 덧셈과 뺄셈

B단계 추천연령 : 2학년

단계	B1	B2	B3	B4
권별 주제	(두 자리 수)+(두 자리 수)	(두 자리 수)-(두 자리 수)	세 자리 수의 덧셈과 뺄셈	덧셈과 뺄셈의 활용
단계	B5	B6	B7	B8
권별 주제	곱셈	곱셈구구	나눗셈	곱셈과 나눗셈의 활용

C단계 추천연령 : 3학년

단계	C1	C2	C3	C4
권별 주제	두 자리 수의 곱셈	두 자리 수의 곱셈과 활용	두 자리 수의 나눗셈	세 자리 수의 나눗셈과 활용
단계	C5	C6	C7	C8
권별 주제	큰 수의 곱셈	큰 수의 나눗셈	혼합 계산	혼합 계산의 활용

D단계 추천연령 : 4학년

단계	D1	D2	D3	D4
권별 주제	분모가 같은 분수의 덧셈과 뺄셈(1)	분모가 같은 분수의 덧셈과 뺄셈(2)	소수의 덧셈과 뺄셈	약수와 배수
단계	D5	D6		
권별 주제	분모가 다른 분수의 덧셈과 뺄셈(1)	분모가 다른 분수의 덧셈과 뺄셈(2)		

1

수 이야기

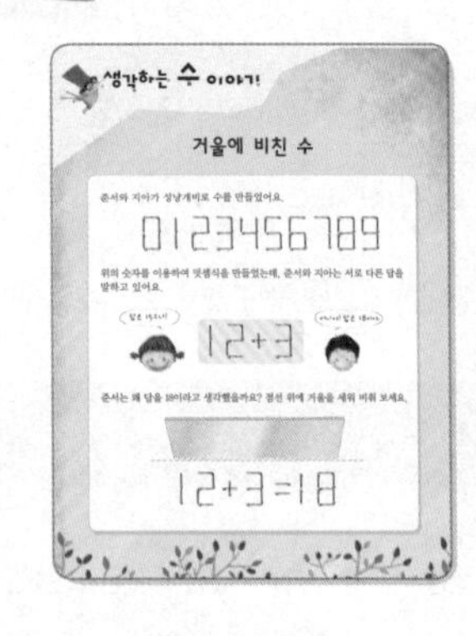

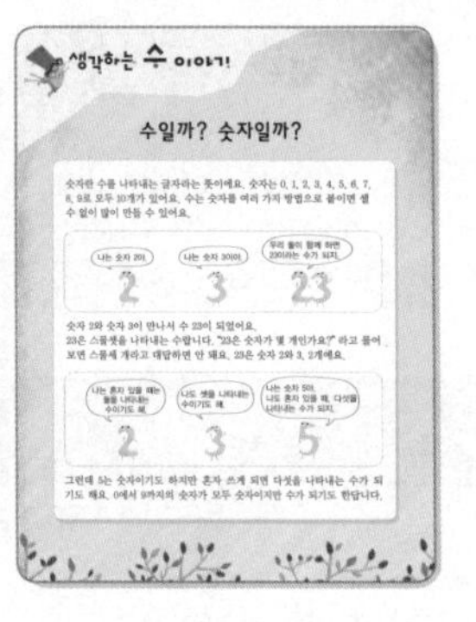

생활 속의 수 이야기를 통해 수와 연산의 이해를 돕습니다. 수의 역사나 재미있는 연산 문제를 접하면서 수학이 재미있는 공부가 되도록 합니다.

2

원리 & 연습

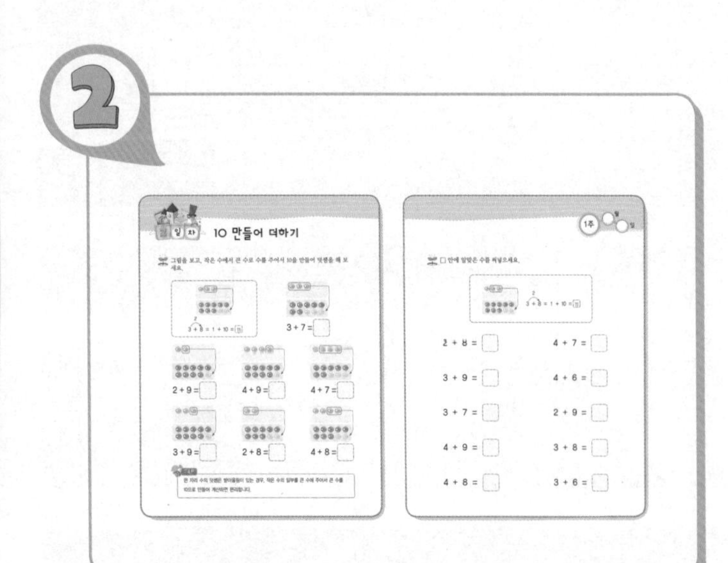

구체물 또는 그림을 통해 연산의 원리를 쉽게 이해하고, 원리의 이해를 바탕으로 연산이 익숙해지도록 연습합니다.

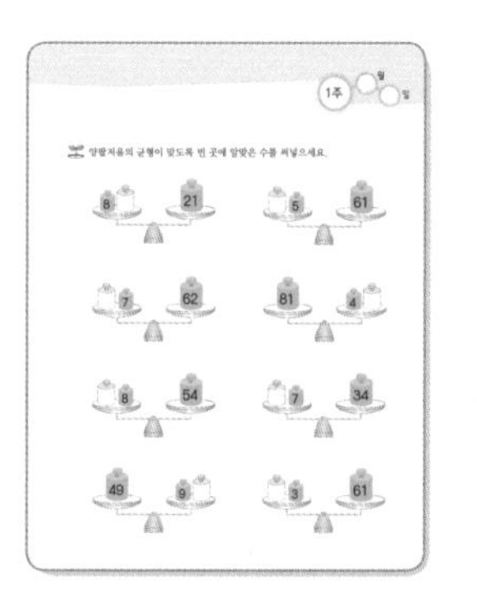

사고력 연산

반복적인 연산에서 나아가 배운 원리를 활용하여 확장된 문제를 해결합니다. 어려운 문제를 싣기보다 다양한 생각을 할 수 있는 내용으로 구성하였습니다.

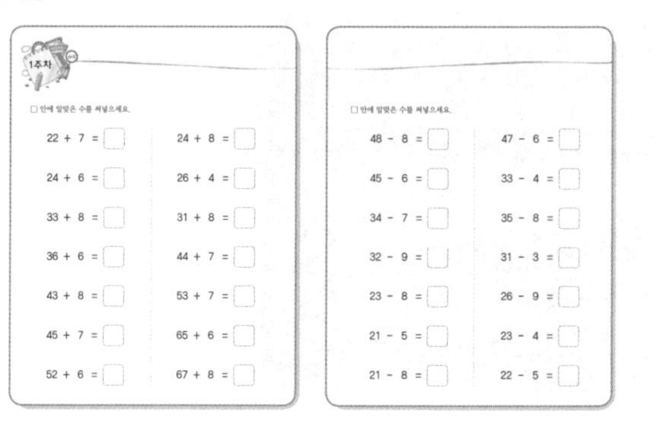

Drill (보충학습)

주차별 주제에 대한 연습이 더 필요한 경우 보충학습을 활용합니다.

연산과정의 확인이 필수적인 주제는 Drill 의 양을 2배로 담았습니다.

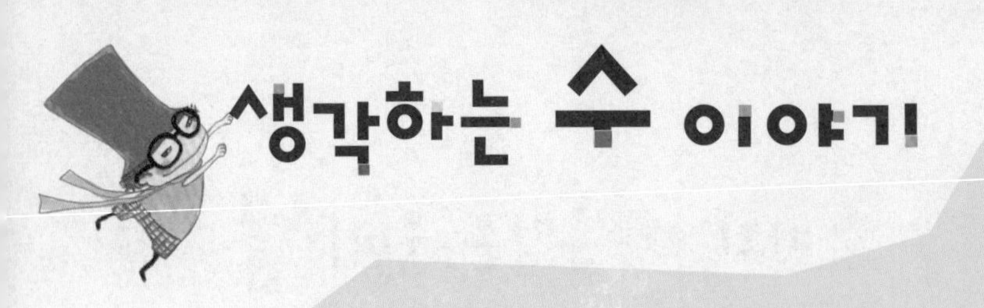

자릿값은 언제 생겼을까요?

우리가 점점 큰 수를 배워가면서 일의 자리, 십의 자리, 백의 자리라는 용어를 많이 사용하게 돼요.
이렇게 자릿값이 나누어져 있기 때문에 우리가 쉽게 연산을 할 수 있는 것이죠. 그런데, 이런 자릿값 개념은 언제 생겼을까요?

자릿값 개념은 중국의 주판에서 비롯되었다고 해요. 주판은 가로막대를 기준으로 5를 나타내는 윗알과 1을 나타내는 아래알을 움직여 가며 계산을 하는 기구예요.
가로막대에 찍힌 점을 일의 자리로 정하고 왼쪽으로 한 칸씩 옮겨가며 차례대로 십의 자리, 백의 자리 등으로 나타낸 것이랍니다.

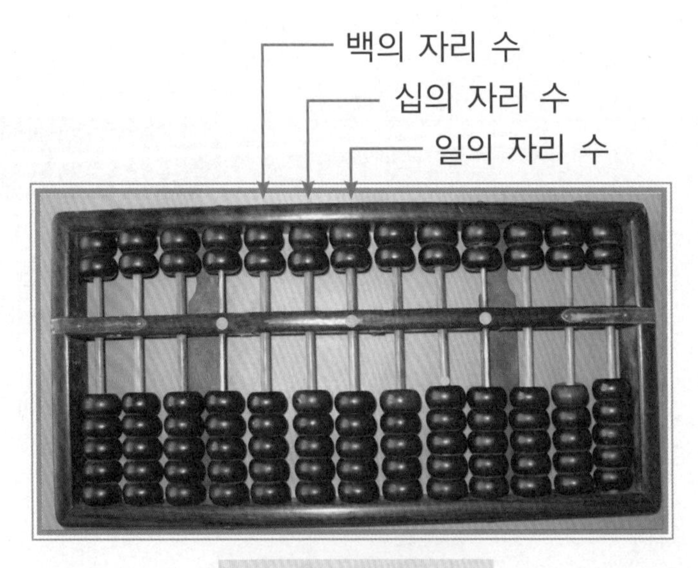

중국식 주판

소마셈 B1 – 1주차

세 자리 수 알아보기

몇백

100씩 커지는 수를 알아보세요.

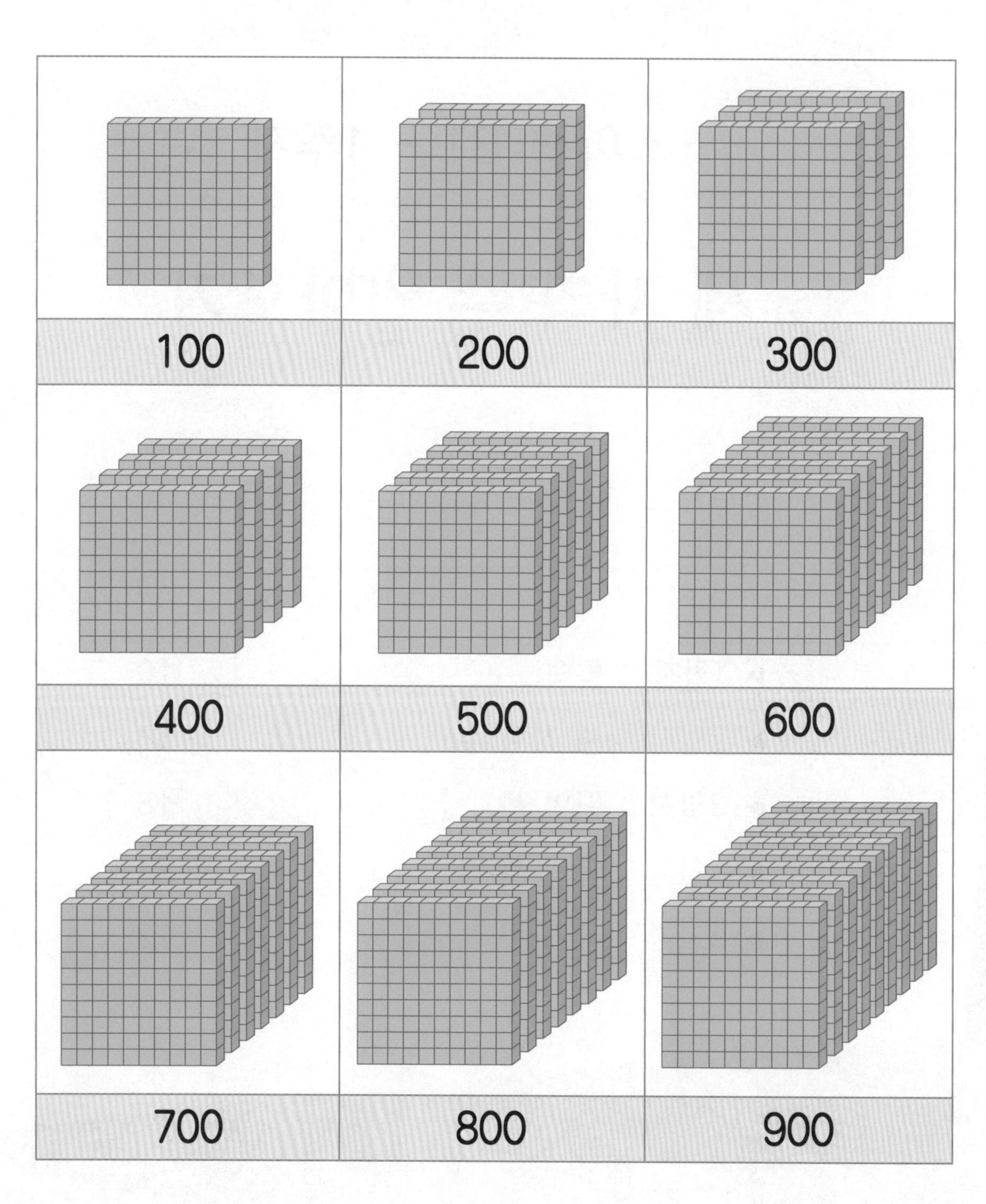

 동전으로 몇백을 알아보세요.

		100

	200
	300
	400
	500
	600
	700
	800
	900

수를 세어 □ 안에 알맞은 수를 써넣으세요.

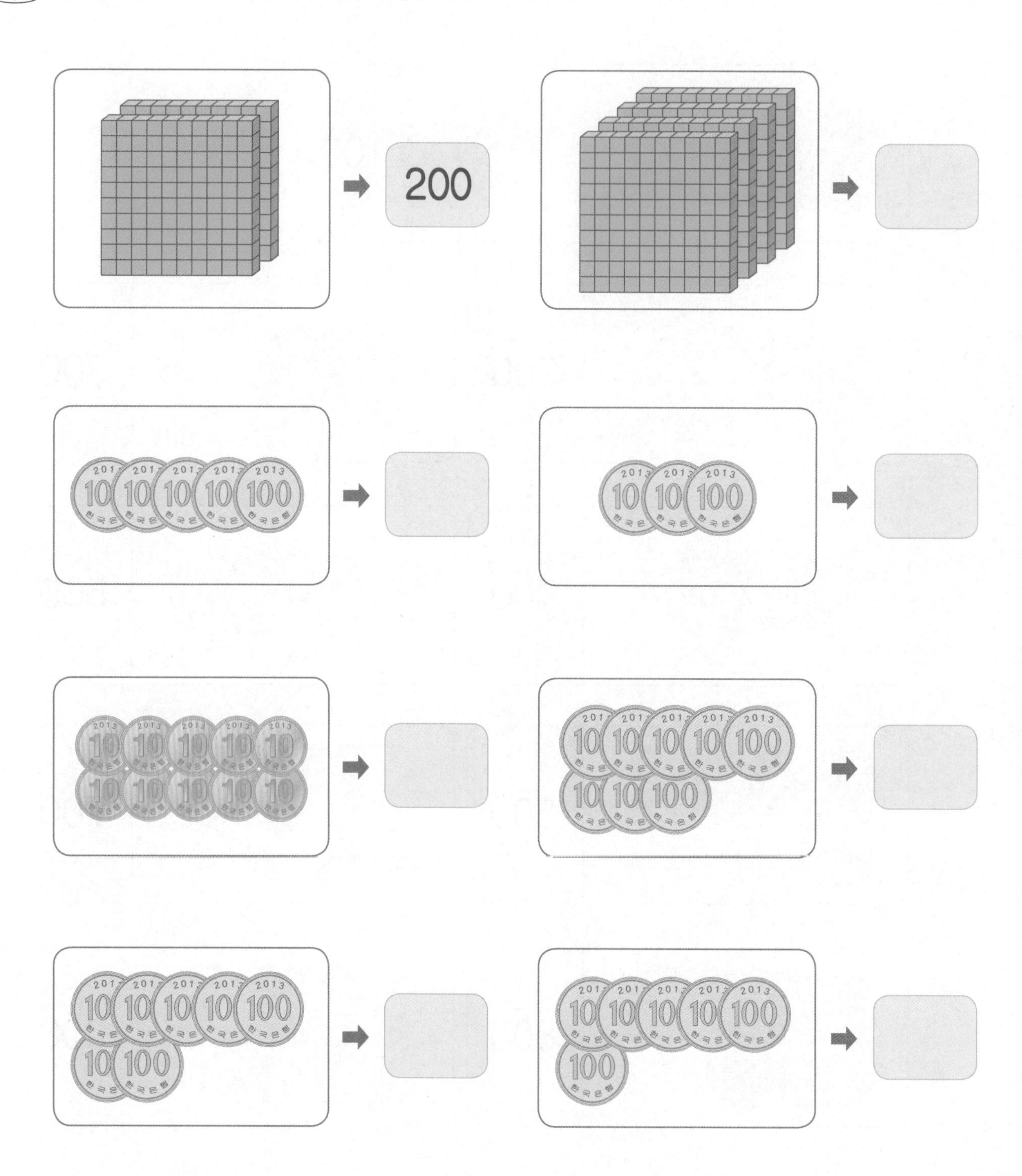

□ 안에 알맞은 수를 써넣으세요.

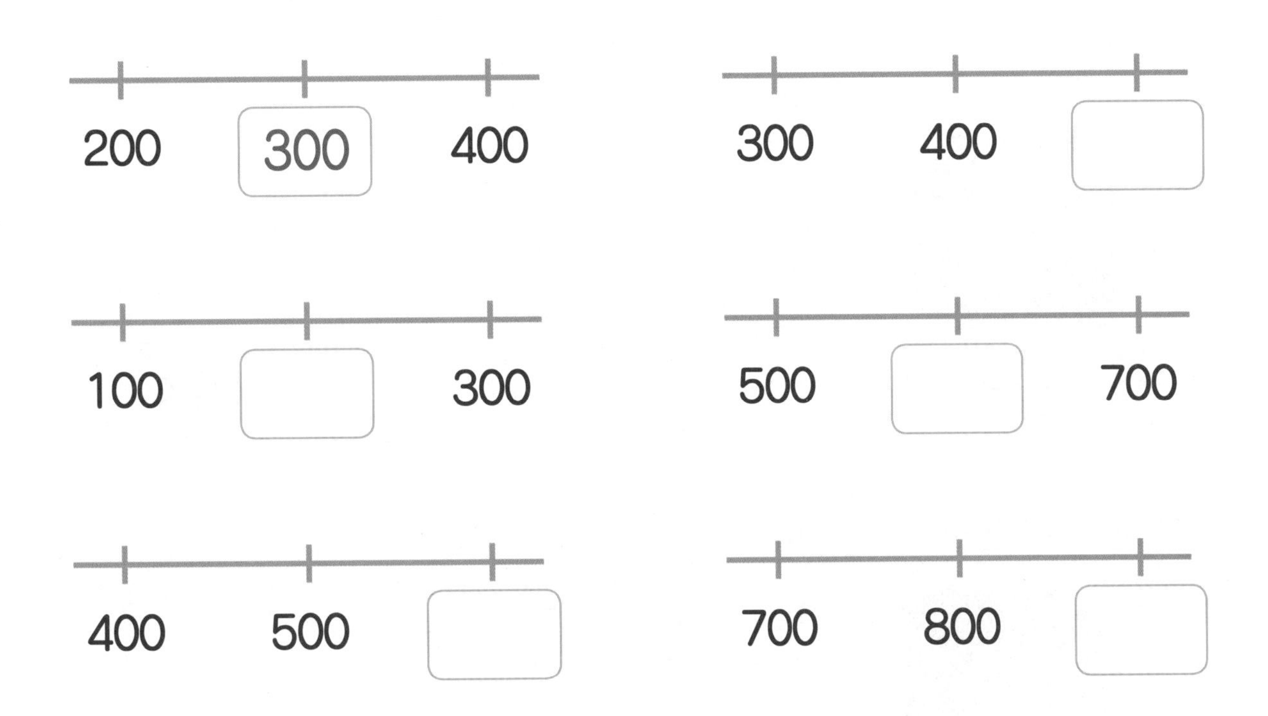

 안에 있는 수와 더 가까운 수를 찾아 ○표 하세요.

세 자리 수

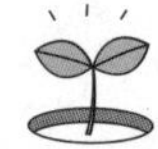
그림을 보고 □ 안에 알맞은 수를 써넣으세요.

백의 자리	십의 자리	일의 자리
200	20	4

➡ 224

백의 자리	십의 자리	일의 자리
300	40	7

➡ □

백의 자리	십의 자리	일의 자리
400	20	0

➡ □

그림을 보고 □ 안에 알맞은 수를 써넣으세요.

백의 자리	십의 자리	일의 자리

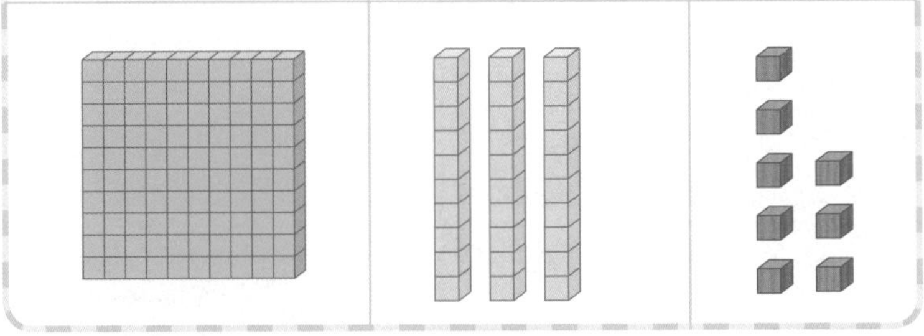

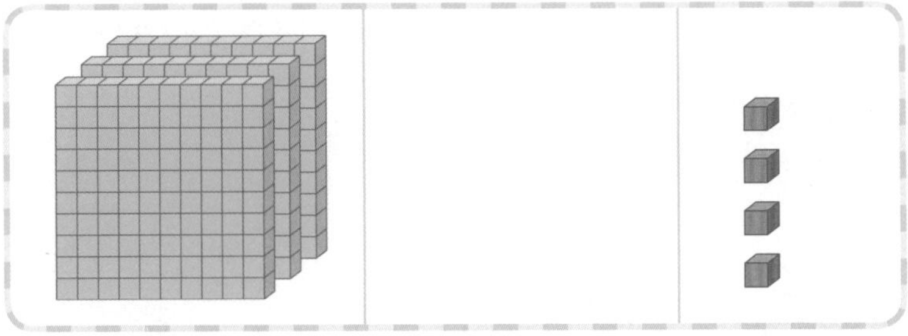

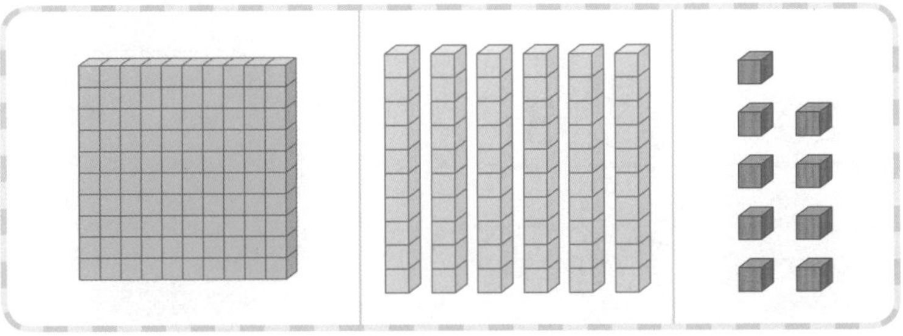

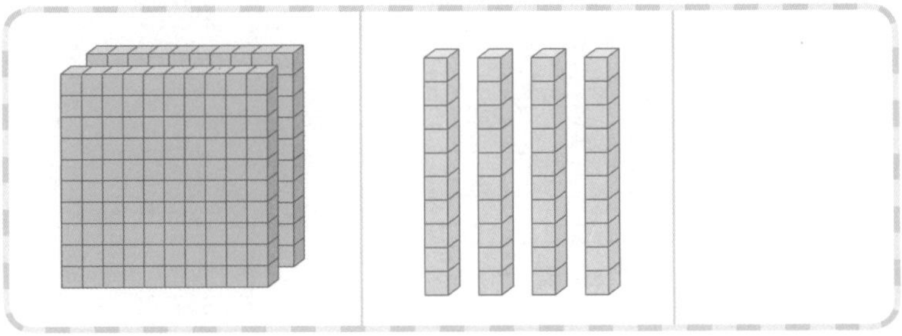

→ □

→ □

→ □

→ □

동전을 보고 □ 안에 알맞은 수를 써넣으세요.

백의 자리	십의 자리	일의 자리		
300	50	2	➡	352

백의 자리	십의 자리	일의 자리		
400	20	3	➡	

백의 자리	십의 자리	일의 자리		
600	0	5	➡	

동전을 보고 □ 안에 알맞은 수를 써넣으세요.

백의 자리	십의 자리	일의 자리		
100 100 100	10 10 10 10	1 1 1	➡	□
100 100	10 10 10 10 10 10 10	1 1 1 1	➡	□
100 100 100 100 100	10 10 10 10		➡	□
100 100 100 100 100 100 100 100		1 1 1 1 1 1	➡	□

뛰어 세기

100씩 뛰어 세어 빈칸에 알맞은 수를 써넣으세요.

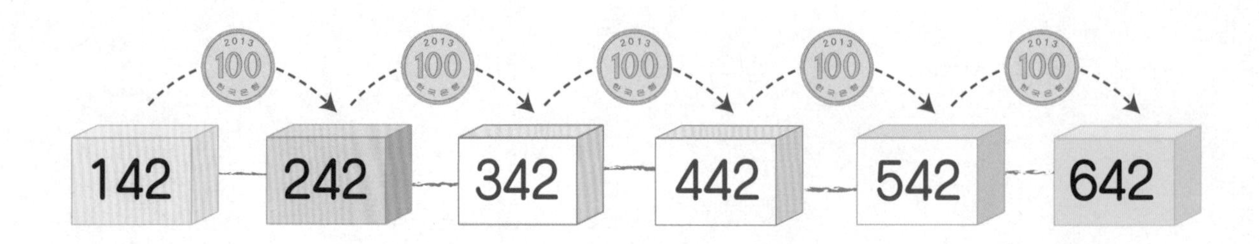

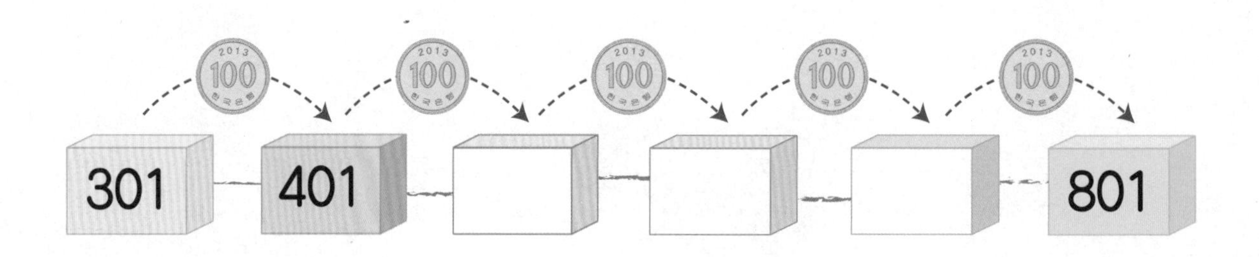

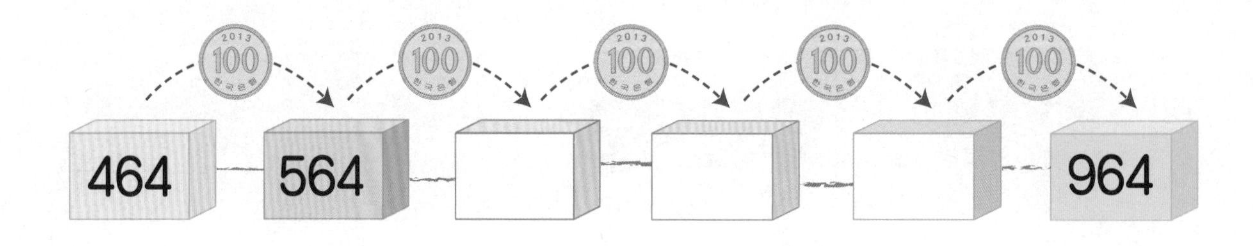

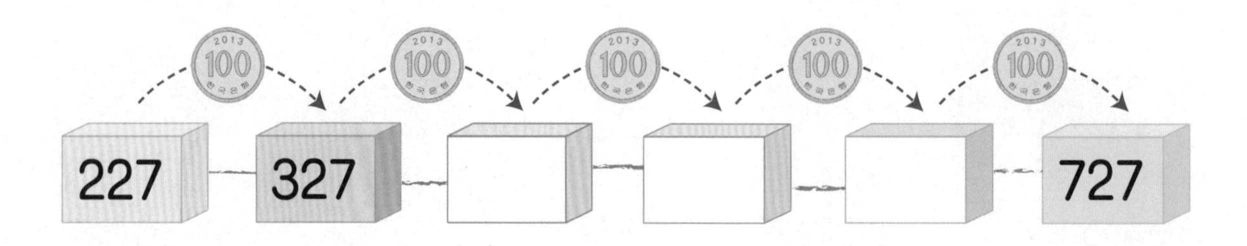

10씩 뛰어 세어 빈칸에 알맞은 수를 써넣으세요.

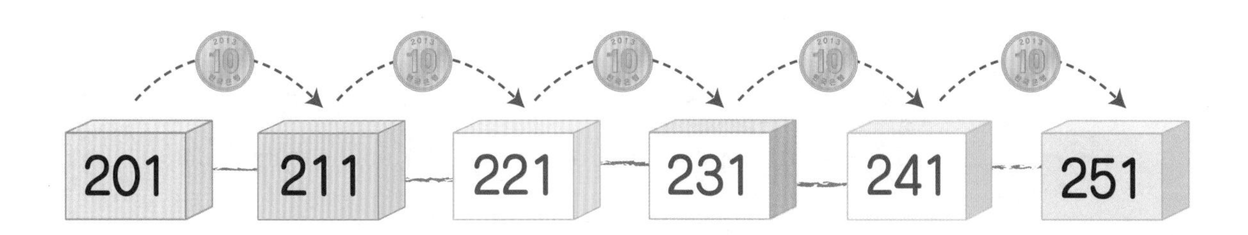

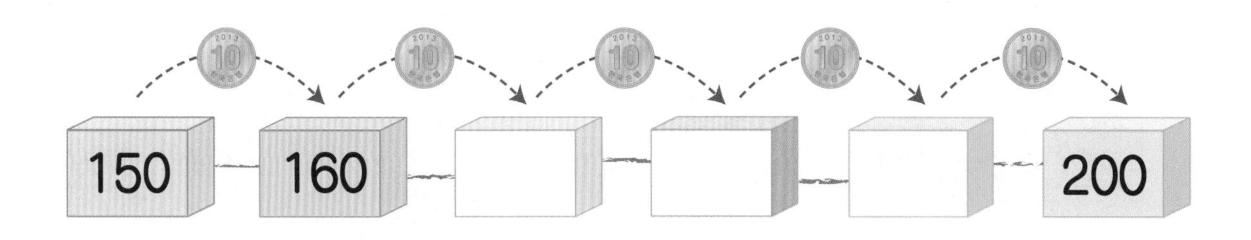

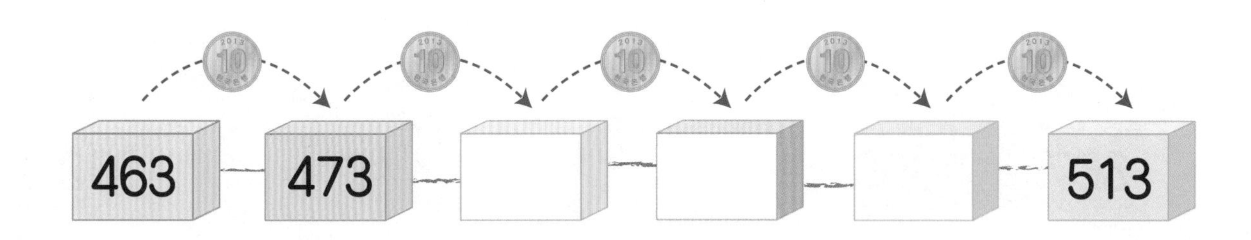

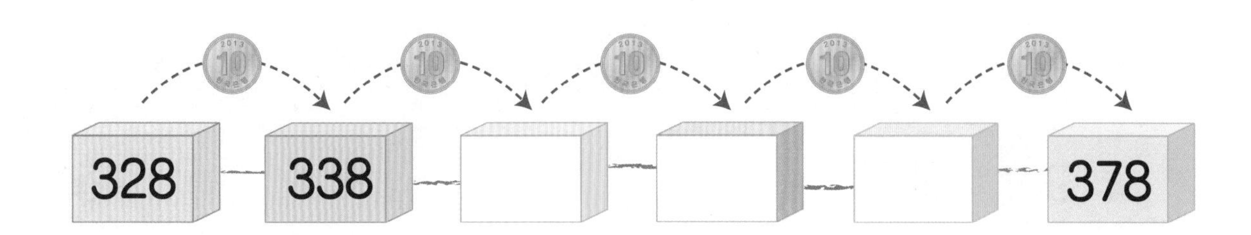

1씩 뛰어 세어 빈칸에 알맞은 수를 써넣으세요.

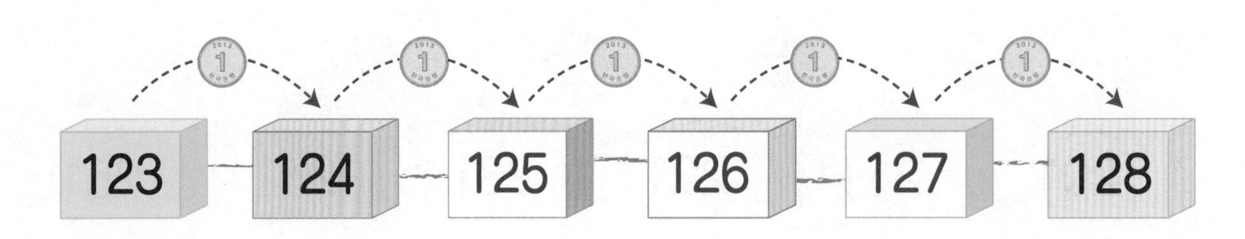

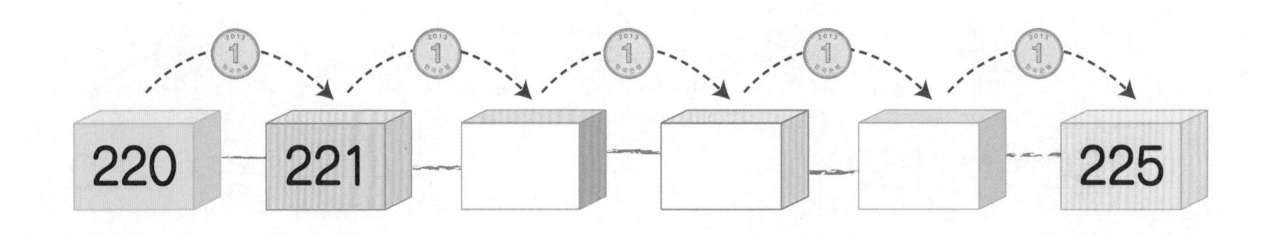

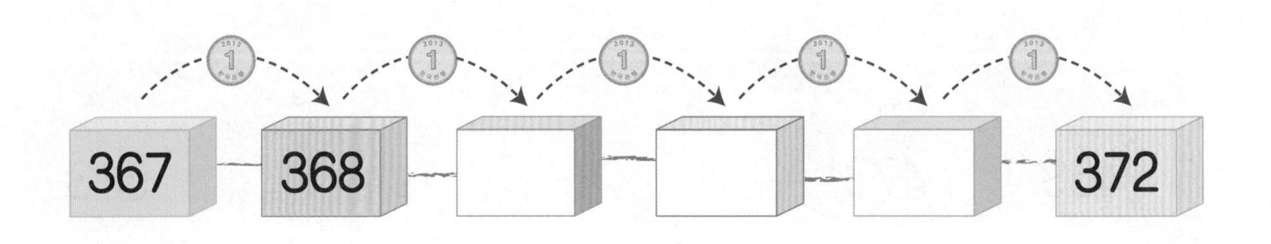

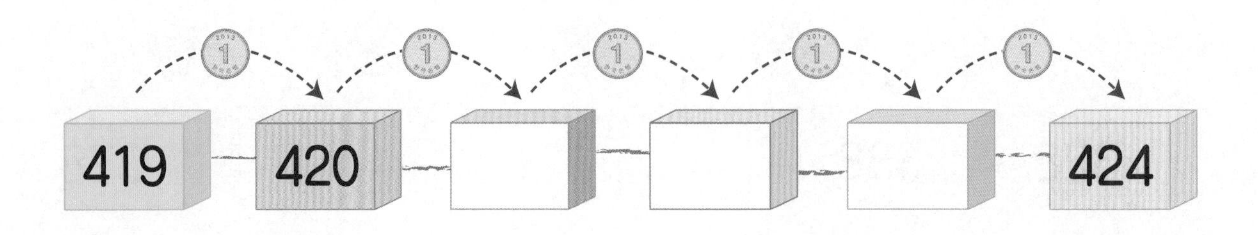

규칙 찾기

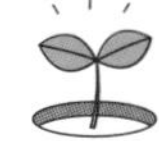 규칙을 찾아 빈칸에 알맞은 수를 써넣으세요.

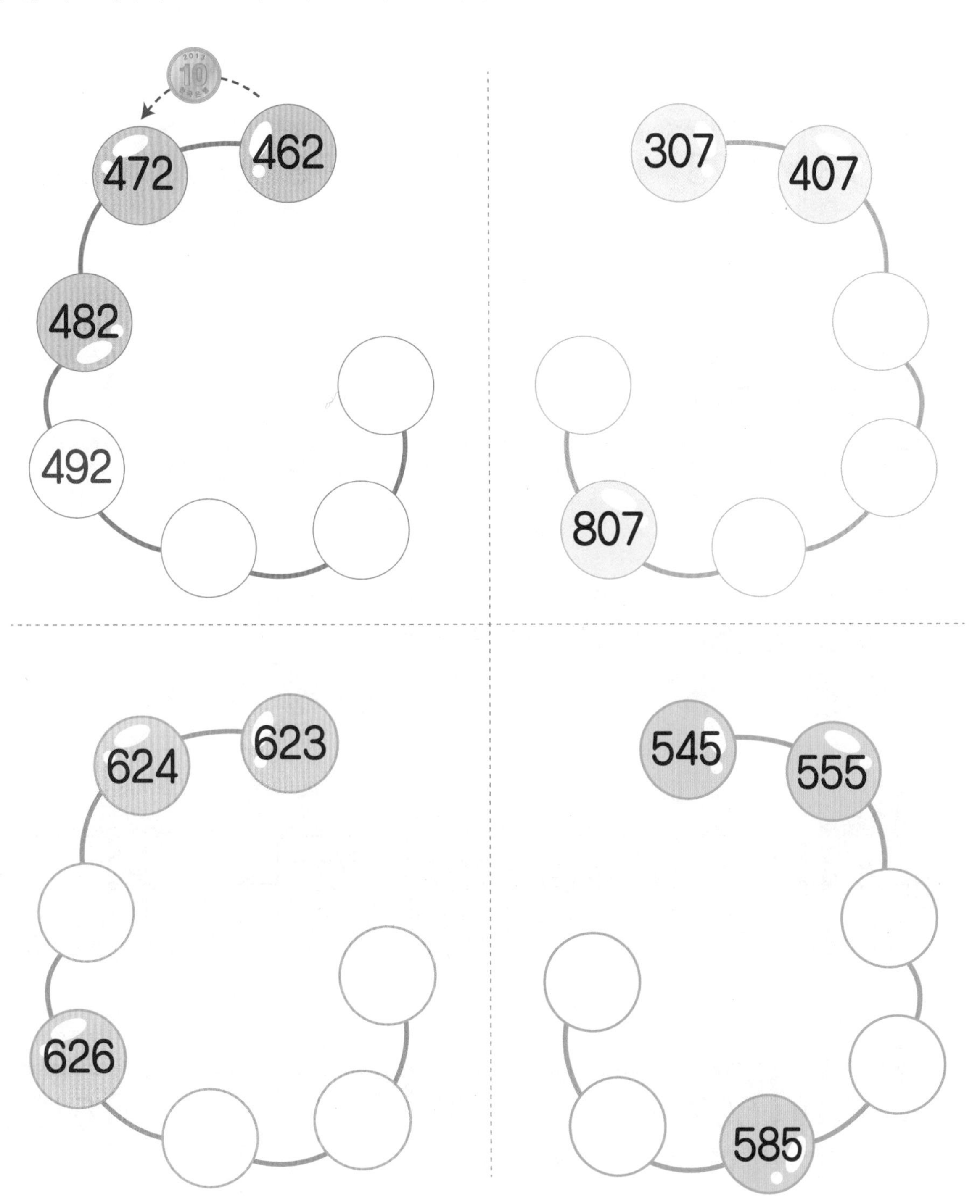

규칙을 찾아 빈칸에 알맞은 수를 써넣으세요.

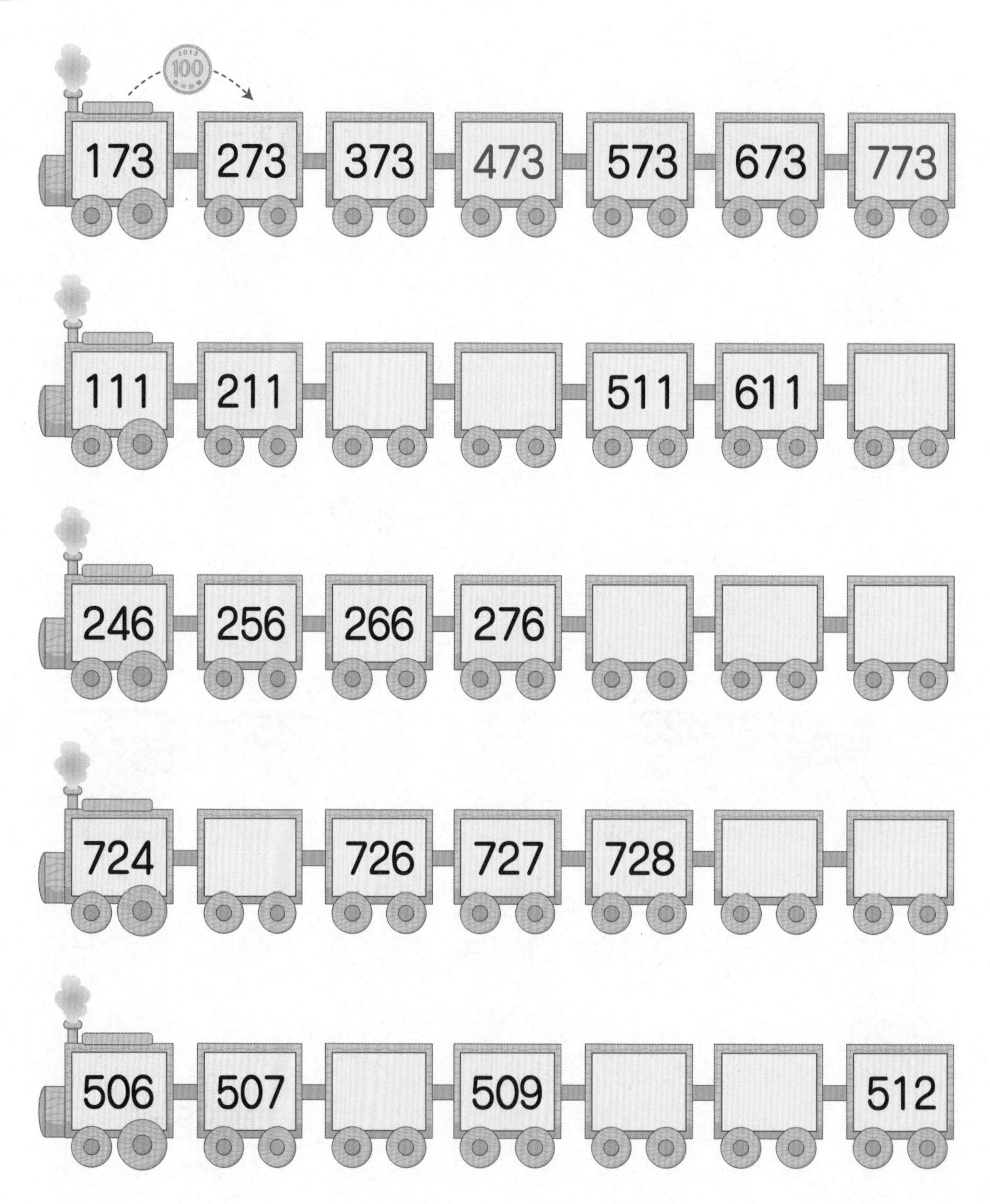

크기 비교

가장 큰 수에 ○표, 가장 작은 수에 △표 하세요.

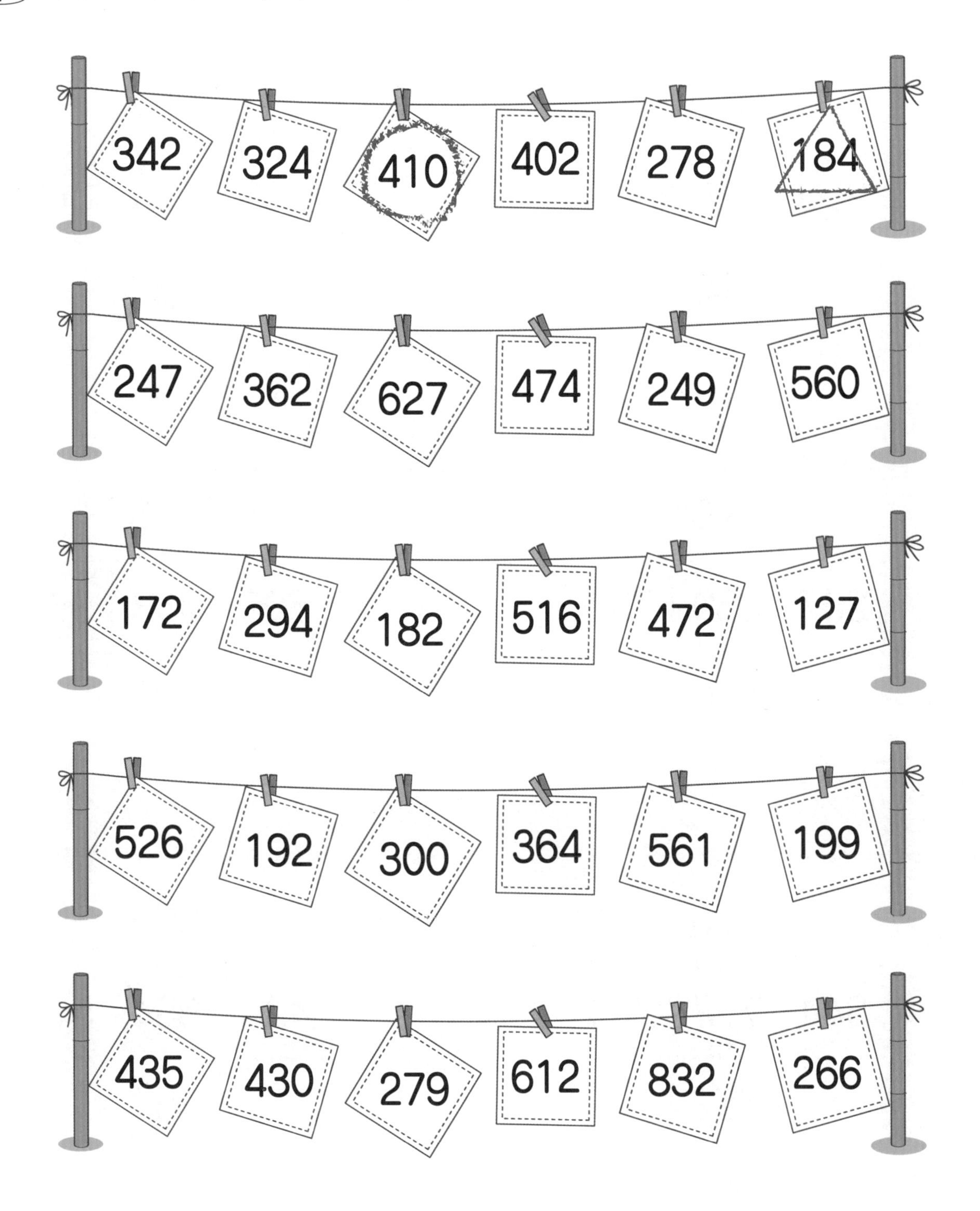

두 번째로 큰 수에 ○표 하세요.

	480	
250	326	389
	192	

	354	
162	190	840
	262	

	345	
267	659	792
	560	

	488	
800	388	970
	722	

	279	
544	752	700
	652	

	592	
420	954	510
	254	

소마셈 B1 – 2주차

받아올림이 한 번 있는 덧셈

10 만들어 더하기

그림을 보고 10을 만들어 덧셈을 해 보세요.

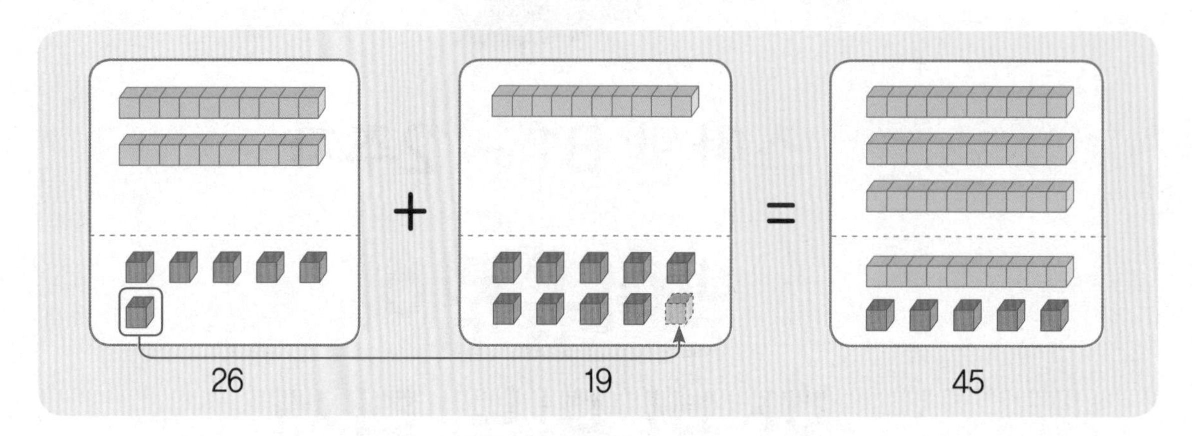

26 + 19 = 45

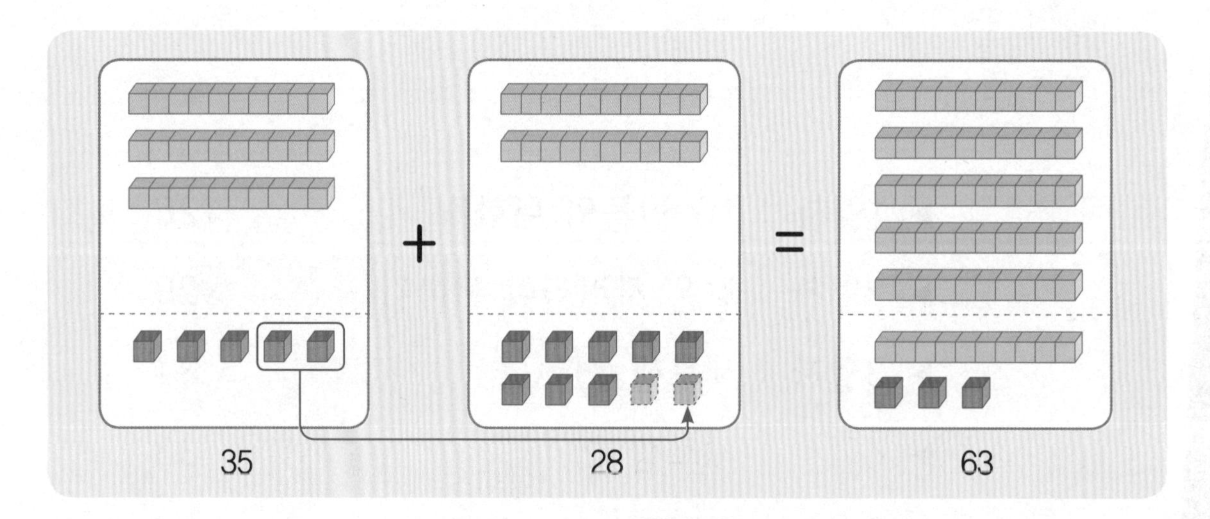

35 + 28 =

일의 자리끼리의 계산에서 10을 만들어 낱개 모형 10개가 십 모형 1개로 바뀌는 것을 보고, 받아올림을 하는 원리를 알게 합니다.

그림을 보고 10을 만들어 덧셈을 해 보세요.

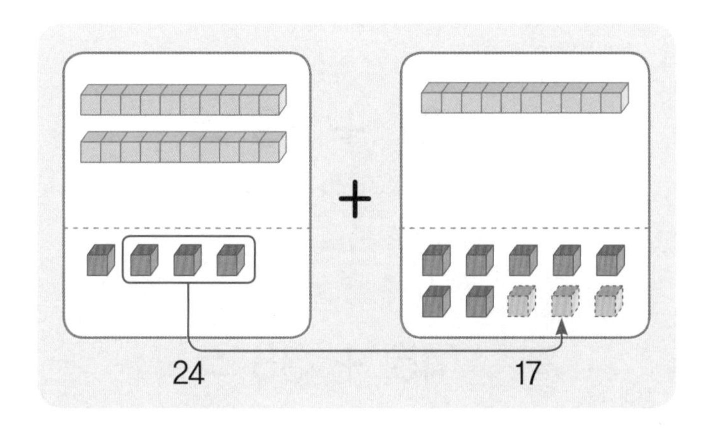

24 + 17 = 41

30 11

41

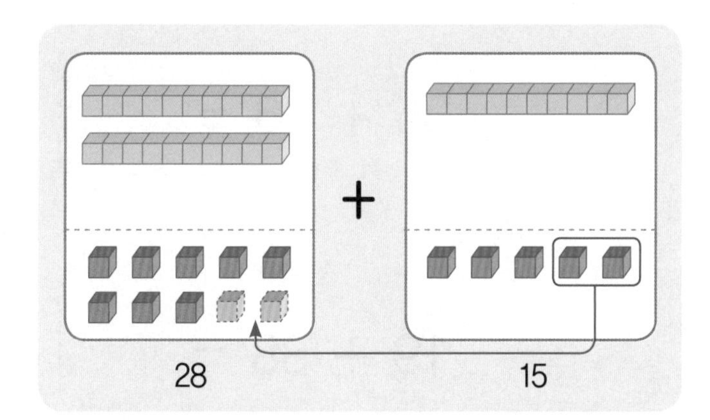

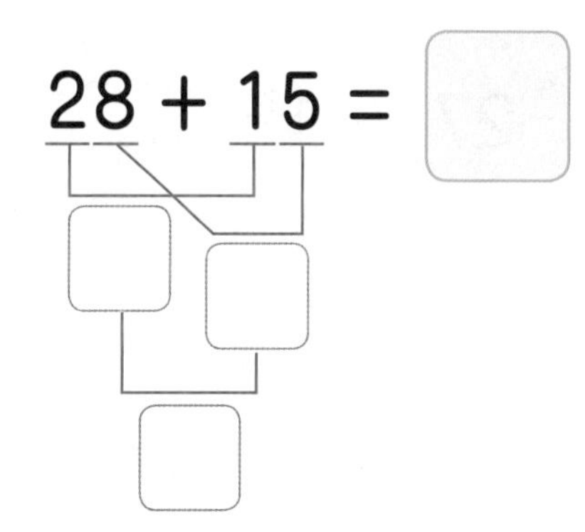

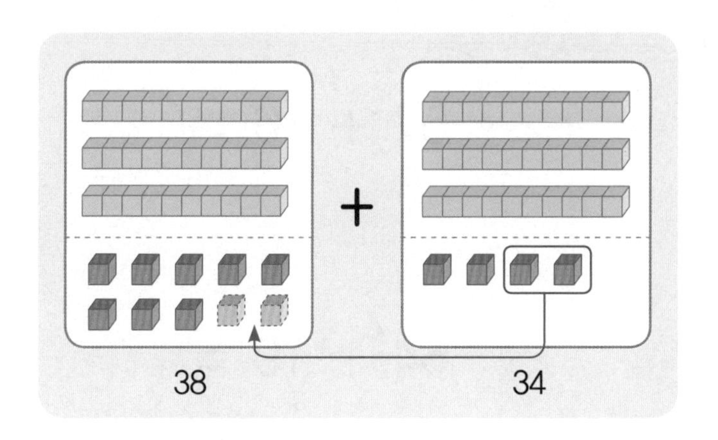

38 + 34 =

□ 안에 알맞은 수를 써넣으세요.

14

18 + 26 = 44

30

31 + 19 = □

36 + 26 = □

45 + 38 = □

27 + 18 = □

35 + 46 = □

37 + 25 = □

19 + 38 = □

46 + 18 = □

57 + 16 = □

59 + 24 = □

64 + 19 = □

2일차 같은 자리끼리 더하기

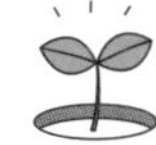

같은 자리끼리 더하여 덧셈을 해 보세요.

28 + 14 = 42

30, 12

42

37 + 28 =

19 + 35 =

26 + 44 =

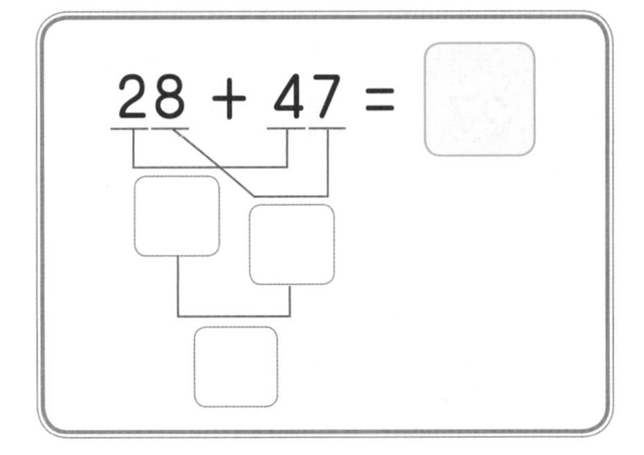

28 + 47 =

□ 안에 알맞은 수를 써넣으세요.

12

37 + 25 = 62

50

36 + 27 = □

25 + 19 = □

19 + 35 = □

34 + 17 = □

28 + 26 = □

35 + 28 = □

56 + 14 = □

27 + 44 = □

49 + 13 = □

55 + 18 = □

36 + 28 = □

세로셈 (1)

일의 자리, 십의 자리의 위치를 맞추어 □ 안에 알맞은 수를 써넣으세요.

	십	일
	1	
	2	4
+	2	8
		2

4 + 8 = 12

➡

	십	일
	1	
	2	4
+	2	8
	5	

1 + 2 + 2 = 5

➡

	십	일
	1	
	2	4
+	2	8
	5	2

	십	일
	1	
	3	5
+	1	6
		1

➡

	십	일
	1	
	3	5
+	1	6
	5	

➡

	십	일
	1	
	3	5
+	1	6
	□	□

	십	일
	1	
	5	4
+	2	6
		0

➡

	십	일
	1	
	5	4
+	2	6
	8	

➡

	십	일
	1	
	5	4
+	2	6
	□	□

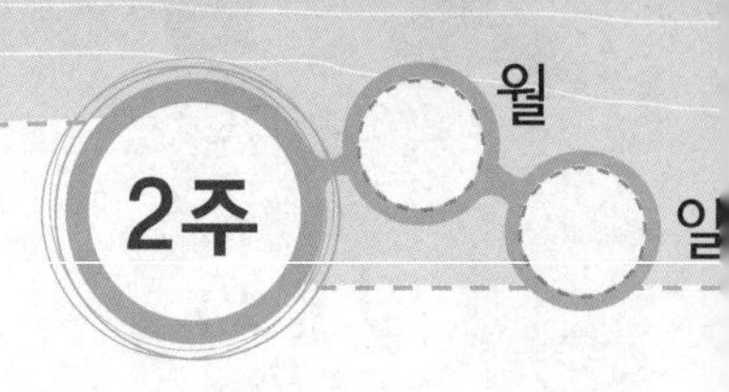

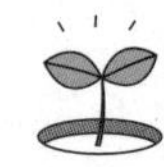 □ 안에 알맞은 수를 써넣으세요.

$$\begin{array}{r} \scriptsize{1} \\ 37 \\ +\,24 \\ \hline 61 \end{array}$$

$$\begin{array}{r} 45 \\ +\,15 \\ \hline \square\square \end{array}$$

$$\begin{array}{r} 58 \\ +\,24 \\ \hline \square\square \end{array}$$

$$\begin{array}{r} 26 \\ +\,28 \\ \hline \square\square \end{array}$$

$$\begin{array}{r} 37 \\ +\,17 \\ \hline \square\square \end{array}$$

$$\begin{array}{r} 67 \\ +\,16 \\ \hline \square\square \end{array}$$

$$\begin{array}{r} 58 \\ +\,23 \\ \hline \square\square \end{array}$$

$$\begin{array}{r} 43 \\ +\,29 \\ \hline \square\square \end{array}$$

$$\begin{array}{r} 22 \\ +\,28 \\ \hline \square\square \end{array}$$

$$\begin{array}{r} 46 \\ +\,37 \\ \hline \square\square \end{array}$$

$$\begin{array}{r} 24 \\ +\,57 \\ \hline \square\square \end{array}$$

$$\begin{array}{r} 26 \\ +\,46 \\ \hline \square\square \end{array}$$

세로셈 (2)

□ 안에 알맞은 수를 써넣으세요.

$$\begin{array}{r} {}^{1} \\ 56 \\ +\ 26 \\ \hline \boxed{82} \end{array}$$

$$\begin{array}{r} 32 \\ +\ 29 \\ \hline \boxed{} \end{array}$$

$$\begin{array}{r} 38 \\ +\ 57 \\ \hline \boxed{} \end{array}$$

$$\begin{array}{r} 56 \\ +\ 27 \\ \hline \boxed{} \end{array}$$

$$\begin{array}{r} 49 \\ +\ 16 \\ \hline \boxed{} \end{array}$$

$$\begin{array}{r} 48 \\ +\ 36 \\ \hline \boxed{} \end{array}$$

$$\begin{array}{r} 47 \\ +\ 23 \\ \hline \boxed{} \end{array}$$

$$\begin{array}{r} 36 \\ +\ 28 \\ \hline \boxed{} \end{array}$$

$$\begin{array}{r} 69 \\ +\ 29 \\ \hline \boxed{} \end{array}$$

$$\begin{array}{r} 55 \\ +\ 27 \\ \hline \boxed{} \end{array}$$

$$\begin{array}{r} 78 \\ +\ 15 \\ \hline \boxed{} \end{array}$$

$$\begin{array}{r} 57 \\ +\ 36 \\ \hline \boxed{} \end{array}$$

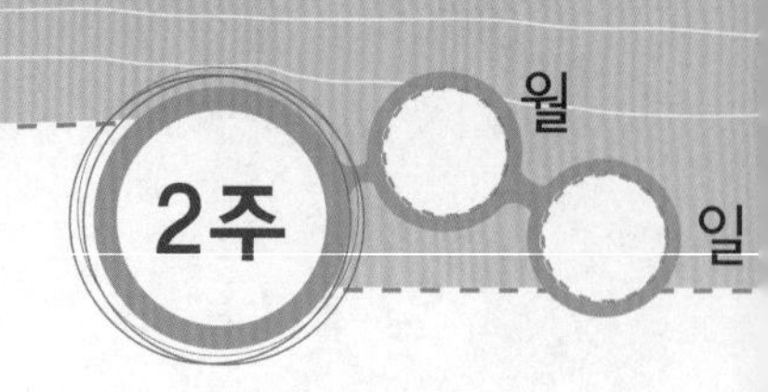

올바른 계산 결과를 찾아 선을 그어 보세요.

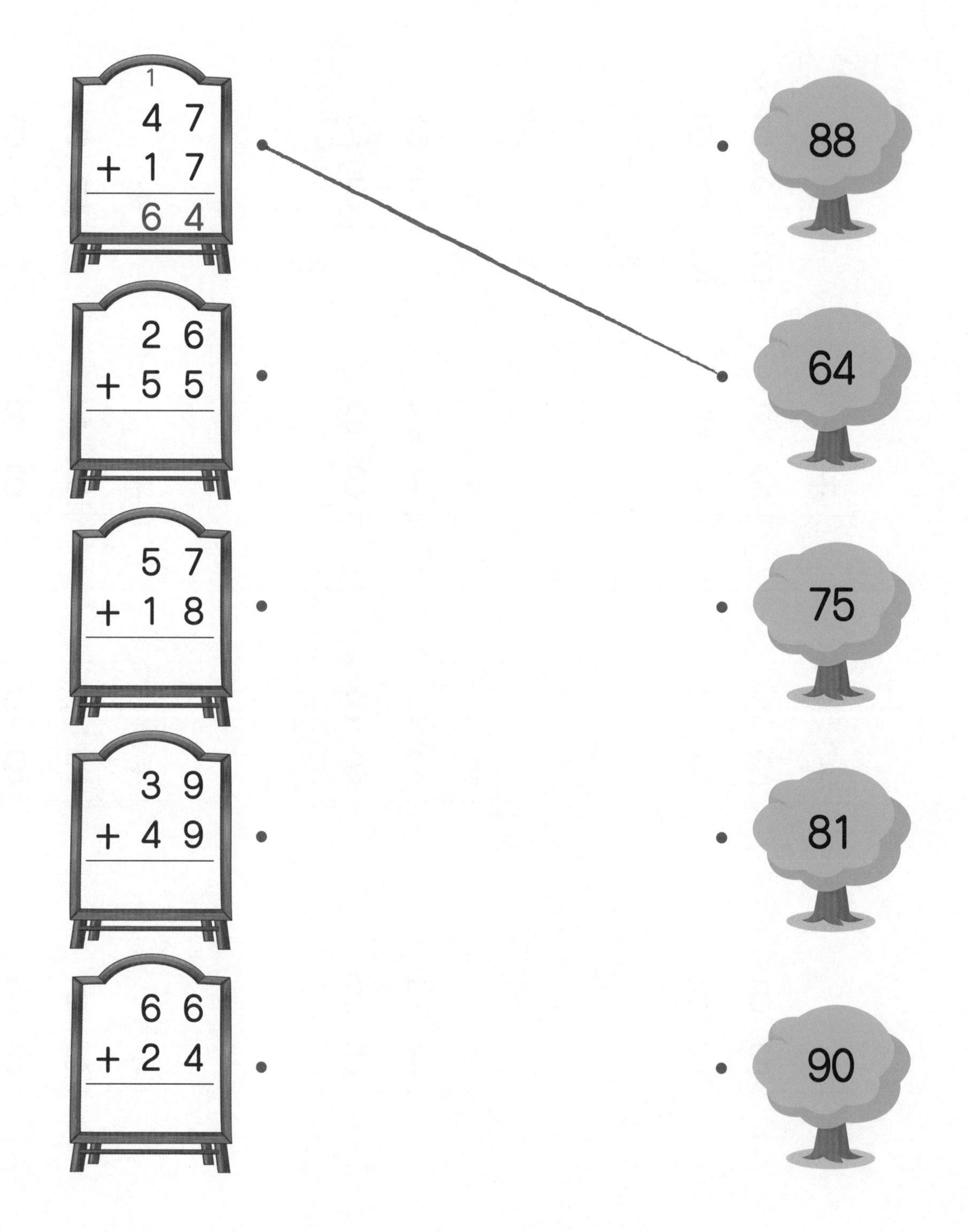

문장제

 이야기를 읽고, 주민이와 친구들이 만든 쿠키의 개수를 구하세요.

주민이는 방과후 수업으로 요리 수업을 합니다.
오늘은 쿠키 만들기를 하기로 한 날이어서 특히 더 기대를 하고 있습니다. 주민이는 쿠키를 무척이나 좋아하기 때문입니다.
친구들과 함께 쿠키 만들기를 끝내고 보니 주민이는 28개, 친구들은 24개를 만들었습니다.
"역시, 쿠키를 좋아하는 주민이가 가장 많이 만들었구나!"
지켜보던 선생님이 웃으며 말했습니다.
주민이와 친구들이 만든 쿠키는 모두 몇 개일까요?

식 : 28 + 24 = 52  개

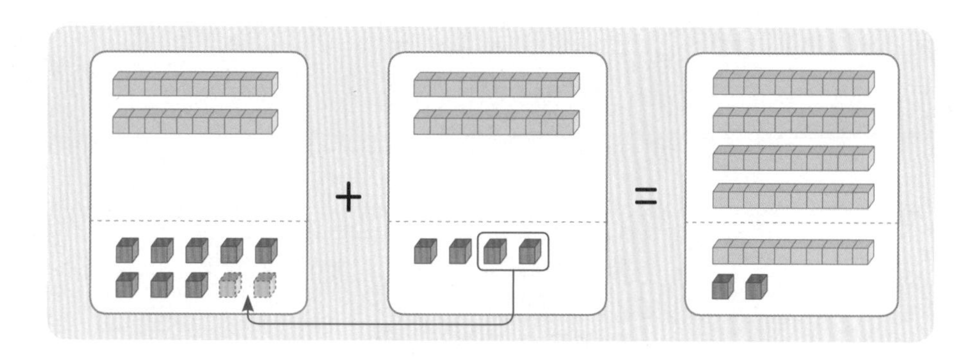

 다음을 읽고 알맞은 덧셈식을 쓰고, 답을 구하세요.

현정이는 사탕 25개를 가지고 있고, 민지는 사탕 18개를 가지고 있습니다. 현정이와 민지가 가진 사탕은 모두 몇 개일까요?

식 : 개

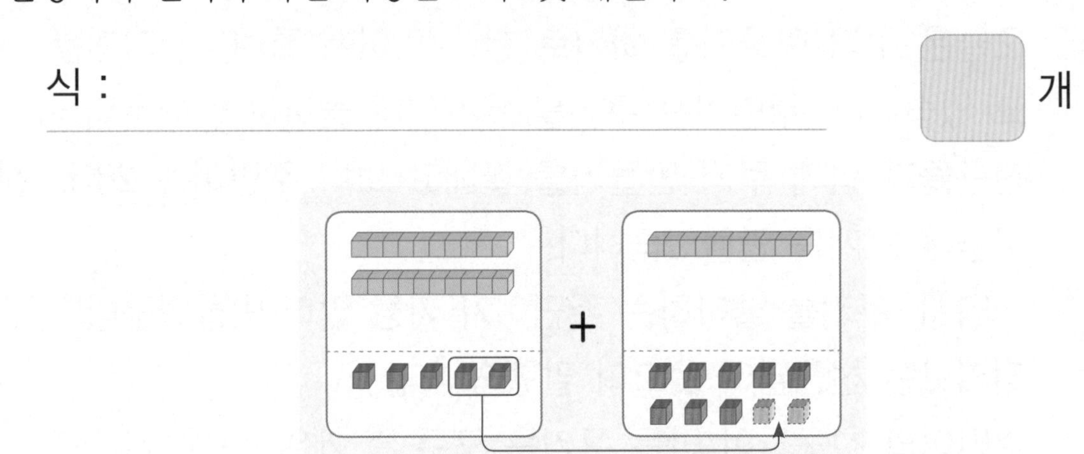

바구니에 자두 37개가 있습니다. 엄마가 자두 15개를 더 사오셨다면 자두는 모두 몇 개일까요?

식 : 개

다음을 읽고 알맞은 덧셈식을 쓰고, 답을 구하세요.

식탁 위에 과일이 있습니다. 사과가 33개, 귤이 29개가 있다면 식탁 위의 과일은 모두 몇 개일까요?

식 :

개

동물원 우리 안에 오리와 거위가 있습니다. 오리가 35마리, 거위가 38마리라면 우리 안의 오리와 거위는 모두 몇 마리일까요?

식 :

마리

수지는 구슬을 19개 모았습니다. 오늘 구슬 39개를 더 샀다면 수지가 가지고 있는 구슬은 모두 몇 개일까요?

식 :

개

다음을 읽고 알맞은 덧셈식을 쓰고, 답을 구하세요.

형과 동생이 종이학을 접었습니다. 그동안 접은 종이학을 세어 보니 형은 53개, 동생은 27개를 접었습니다. 두 사람이 접은 종이학은 모두 몇 개일까요?

식 : ____________ ☐ 개

꽃밭에 민들레가 38송이, 채송화가 44송이 피었습니다. 꽃밭에 핀 꽃은 모두 몇 송이일까요?

식 : ____________ ☐ 송이

연못에 물고기 46마리가 있습니다. 물고기 17마리를 더 넣었다면 연못 속의 물고기는 모두 몇 마리일까요?

식 : ____________ ☐ 마리

소마셈 B1 – 3주차

받아올림이 두 번 있는 덧셈

10 만들어 더하기

 그림을 보고 10을 만들어 덧셈을 해 보세요.

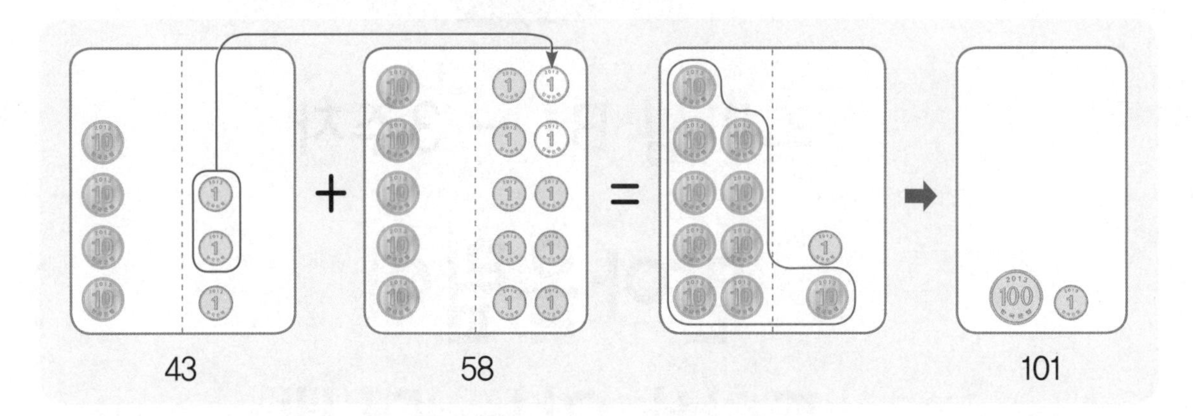

43 + 58 = 101

\+ =

79 54 133

79 + 54 = □

일의 자리끼리의 계산에서 1원 10개가 10원 1개로 바뀌고, 십의 자리끼리의 계산에서 10원이 10개면 100원 1개로 바뀌는 것을 보고, 받아올림을 두 번 하는 원리를 알게 합니다.

그림을 보고 10을 만들어 덧셈을 해 보세요.

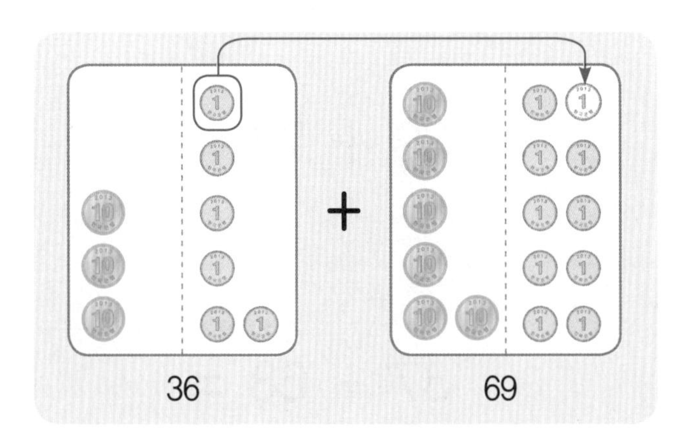

36 + 69 =

90 15

105

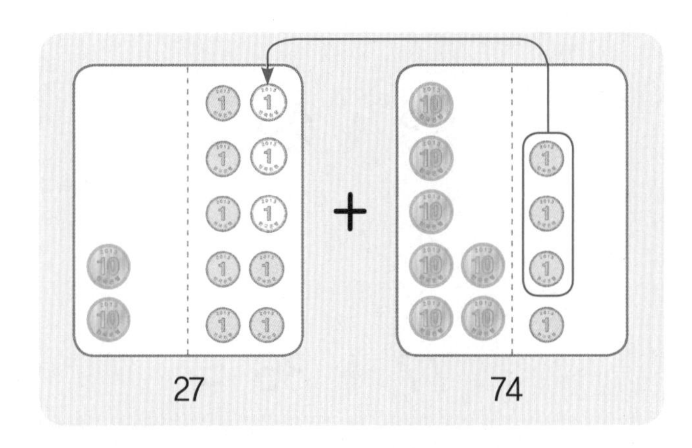

27 + 74 =

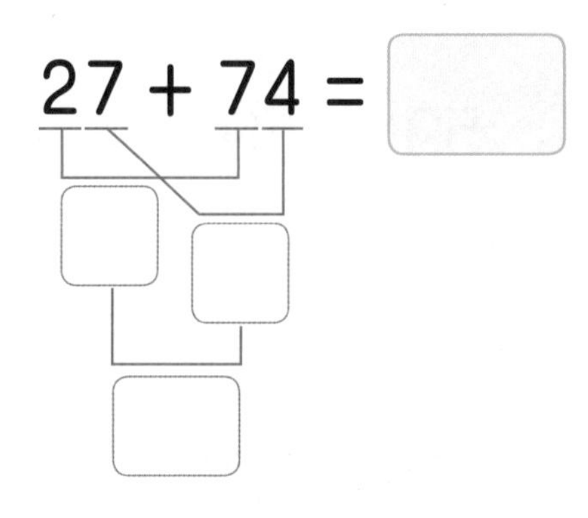

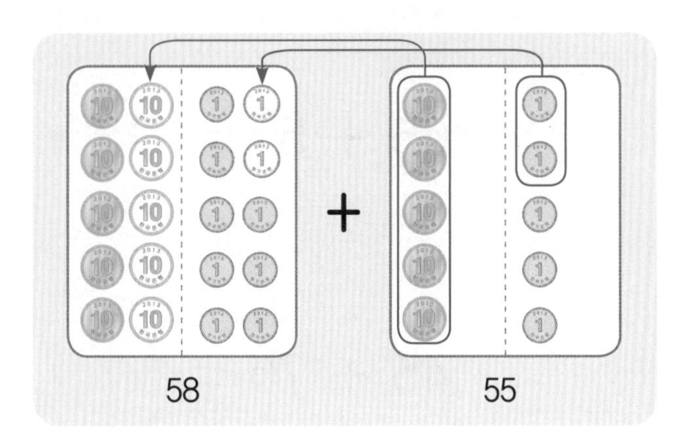

58 + 55 =

□ 안에 알맞은 수를 써넣으세요.

12

39 + 63 = 102

90

39 + 74 = □

48 + 56 = □

37 + 68 = □

59 + 59 = □

83 + 29 = □

58 + 63 = □

77 + 36 = □

37 + 93 = □

65 + 57 = □

85 + 46 = □

45 + 75 = □

같은 자리끼리 더하기

 같은 자리끼리 더하여 덧셈을 해 보세요.

$48 + 53 =$ 101

90

11

101

$55 + 67 =$

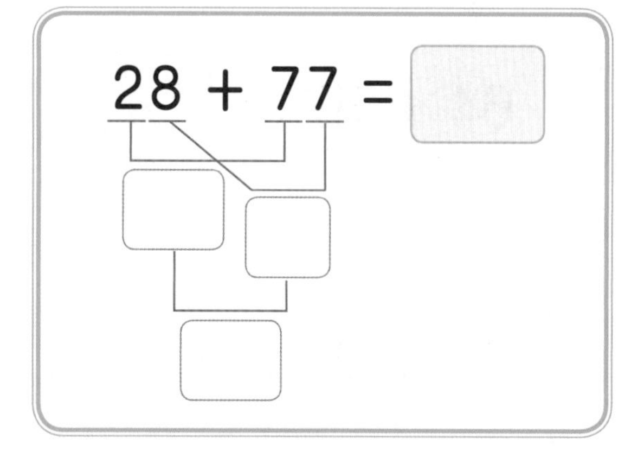

$68 + 45 =$

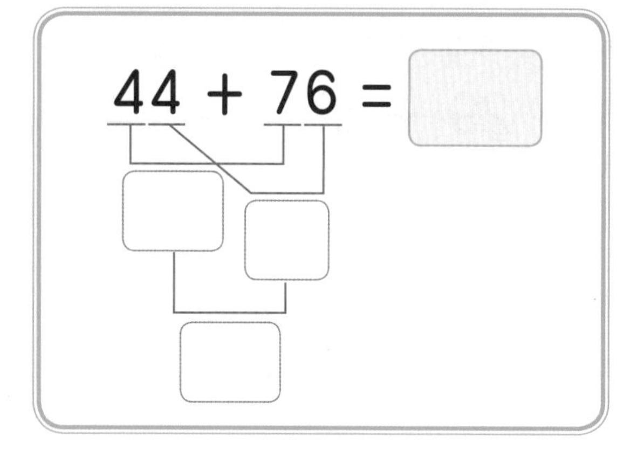

□ 안에 알맞은 수를 써넣으세요.

13

$67 + 46 = $ 113

100

$55 + 56 = $ □

$59 + 42 = $ □

$78 + 34 = $ □

$64 + 57 = $ □

$68 + 56 = $ □

$75 + 48 = $ □

$77 + 38 = $ □

$29 + 84 = $ □

$51 + 59 = $ □

$65 + 68 = $ □

$35 + 88 = $ □

세로셈 (1)

일의 자리, 십의 자리의 위치를 맞추어 □ 안에 알맞은 수를 써넣으세요.

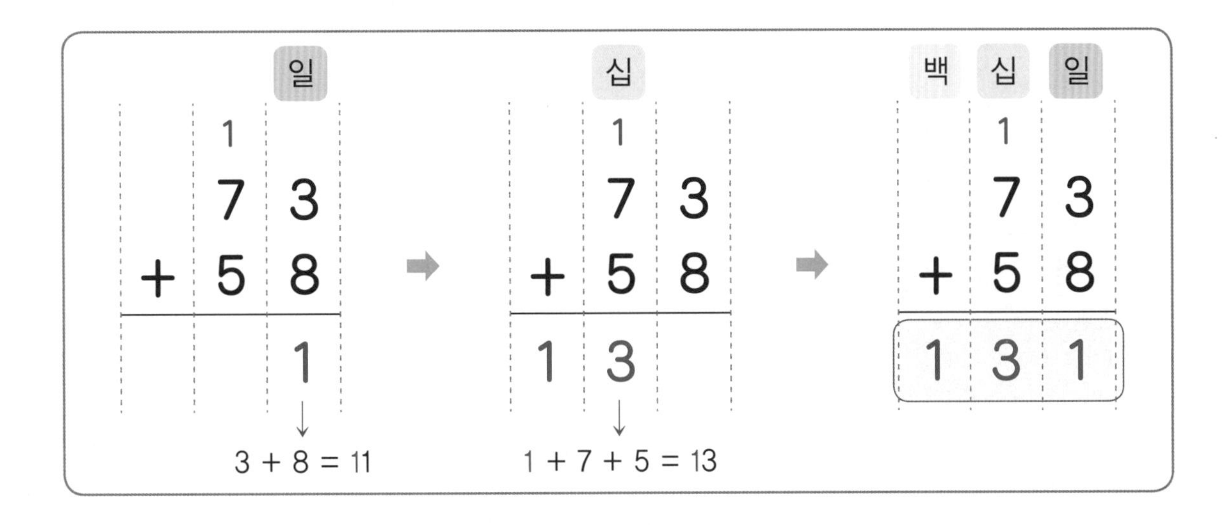

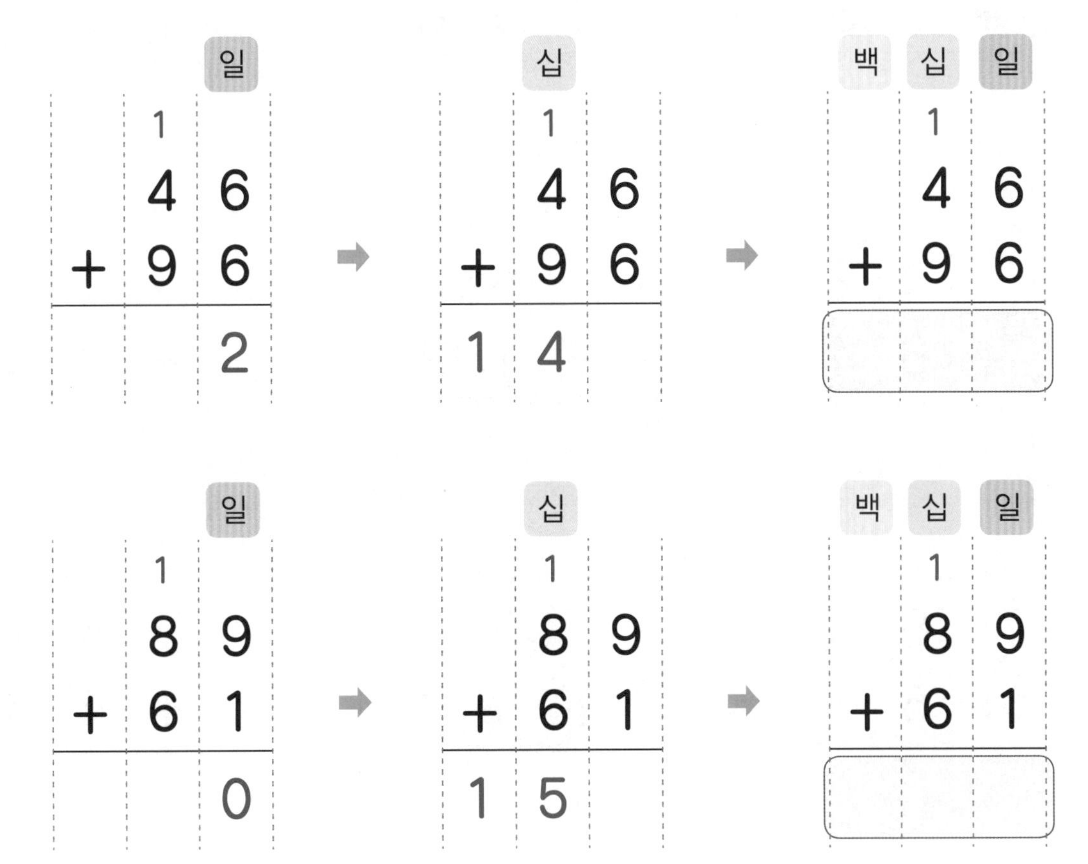

□ 안에 알맞은 수를 써넣으세요.

	1	
	4	9
+	7	6
1	2	5

	6	8
+	7	5

	9	8
+	2	5

	7	7
+	7	8

	3	6
+	9	8

	6	7
+	5	3

	4	8
+	6	4

	8	2
+	1	9

	4	8
+	7	9

	6	6
+	5	7

	5	4
+	5	9

	8	7
+	4	6

세로셈 (2)

□ 안에 알맞은 수를 써넣으세요.

$$\begin{array}{r} {\scriptstyle 1} \\ 57 \\ +\ 66 \\ \hline 123 \end{array}$$

$$\begin{array}{r} 41 \\ +\ 69 \\ \hline \square \end{array}$$

$$\begin{array}{r} 76 \\ +\ 57 \\ \hline \square \end{array}$$

$$\begin{array}{r} 53 \\ +\ 57 \\ \hline \square \end{array}$$

$$\begin{array}{r} 48 \\ +\ 86 \\ \hline \square \end{array}$$

$$\begin{array}{r} 56 \\ +\ 66 \\ \hline \square \end{array}$$

$$\begin{array}{r} 47 \\ +\ 84 \\ \hline \square \end{array}$$

$$\begin{array}{r} 66 \\ +\ 65 \\ \hline \square \end{array}$$

$$\begin{array}{r} 99 \\ +\ 25 \\ \hline \square \end{array}$$

$$\begin{array}{r} 57 \\ +\ 47 \\ \hline \square \end{array}$$

$$\begin{array}{r} 68 \\ +\ 83 \\ \hline \square \end{array}$$

$$\begin{array}{r} 57 \\ +\ 49 \\ \hline \square \end{array}$$

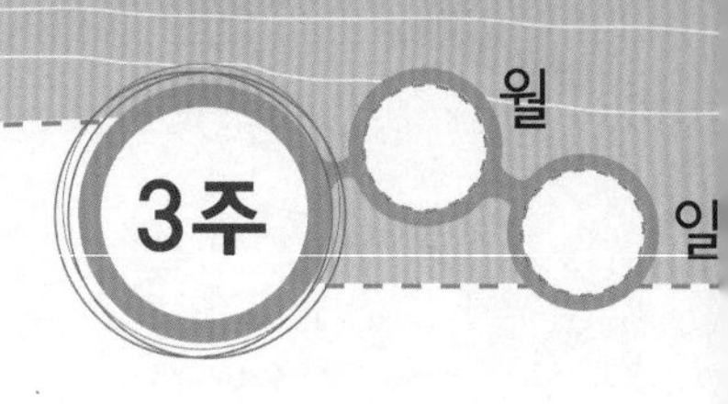

올바른 계산 결과를 찾아 선을 그어 보세요.

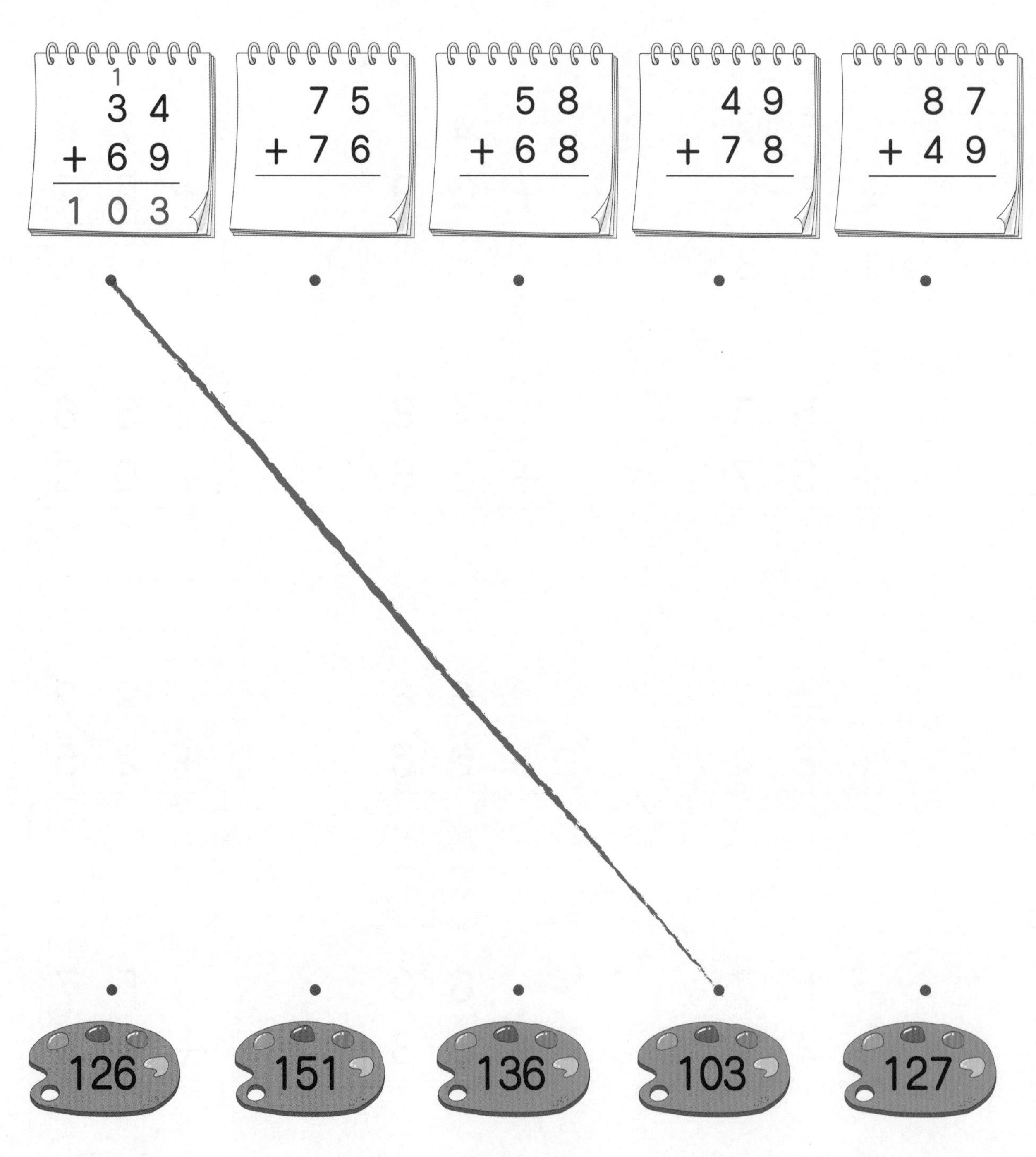

문장제

이야기를 읽고, 기차에 탄 사람의 수를 구하세요.

명준이와 가족들이 할머니 댁에 가기 위해 기차를 탔습니다. 할머니 댁에 도착하려면 한참이나 남았기 때문에 지루해하던 명준이는 동생 민주와 함께 기차에 탄 사람 수를 세어보기로 했습니다.

"민주야, 네가 남자가 몇 명인지 세어봐."

명준이가 먼저 여자가 몇 명인지 세어보았더니 67명이었고, 민주가 센 남자의 수는 54명이었습니다.

기차에 탄 사람은 모두 몇 명일까요?

식 :

명

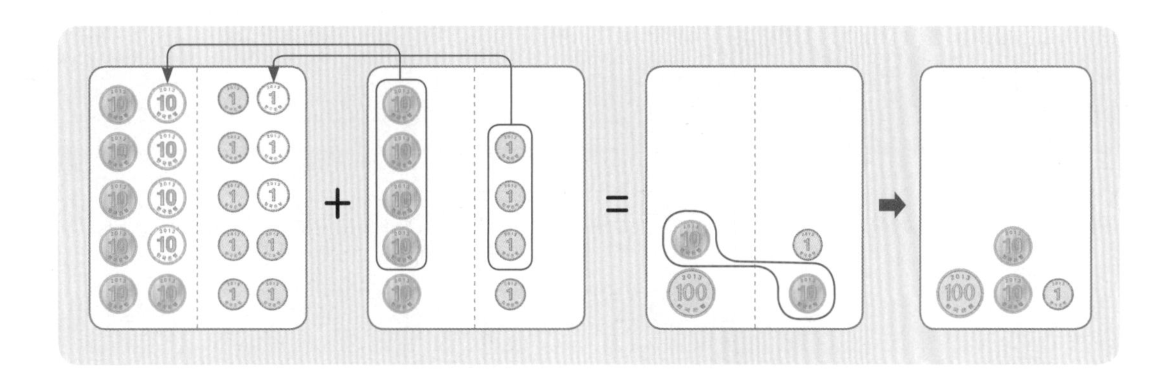

 다음을 읽고 알맞은 덧셈식을 쓰고, 답을 구하세요.

지하철에 49명의 사람이 타고 있습니다. 다음 역에서 내린 사람은 없고 54명이 탔다면 지하철에 타고 있는 사람은 모두 몇 명일까요?

식 : 　　　　　　　　　　 명

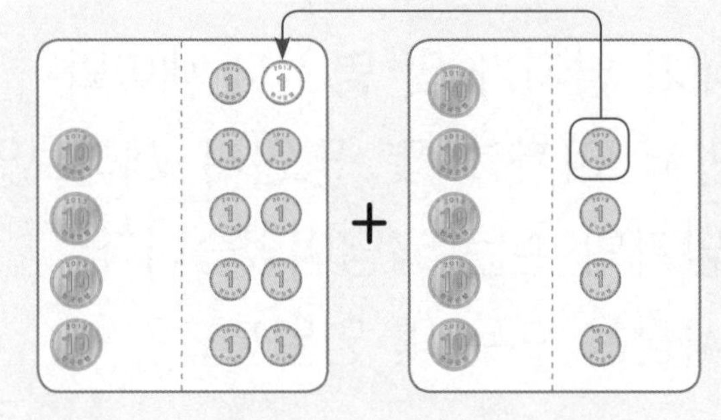

현수는 구슬 35개를 가지고 있습니다. 진수는 현수보다 78개를 더 가지고 있다면 진수가 가진 구슬은 모두 몇 개일까요?

식 : 　　　　　　　　　　 개

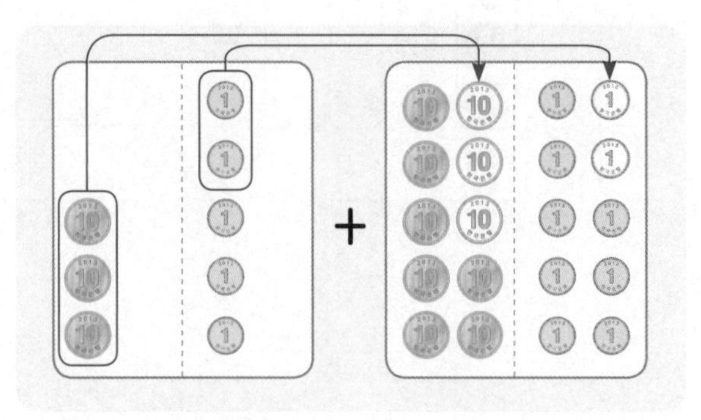

다음을 읽고 알맞은 덧셈식을 쓰고, 답을 구하세요.

우리 안에 닭이 55마리, 병아리가 46마리 있습니다. 우리 안에 있는 닭과 병아리는 모두 몇 마리일까요?

식 : 마리

운동장에서 놀고 있는 남학생이 64명, 여학생이 49명입니다. 운동장에 있는 학생은 모두 몇 명일까요?

식 : 명

상자에 탁구공이 83개, 야구공이 38개가 있습니다. 상자에 들어있는 공은 모두 몇 개일까요?

식 : 개

 다음을 읽고 알맞은 덧셈식을 쓰고, 답을 구하세요.

주머니 안에 노란색 구슬이 78개, 빨간색 구슬이 48개 있습니다. 주머니에 들어있는 구슬은 모두 몇 개일까요?

식 :

개

연못에 개구리 67마리와 올챙이 65마리가 있습니다. 연못에 있는 개구리와 올챙이는 모두 몇 마리일까요?

식 :

마리

성주는 어제 동화책을 75쪽 읽었습니다. 오늘은 어제보다 36쪽을 더 읽었습니다. 성주가 오늘 읽은 동화책은 몇 쪽일까요?

식 :

쪽

소마셈 B1 – 4주차

두 자리 수의 덧셈

여러 가지 방법으로 계산하기

□ 안에 알맞은 수를 써넣어 덧셈을 해 보세요.

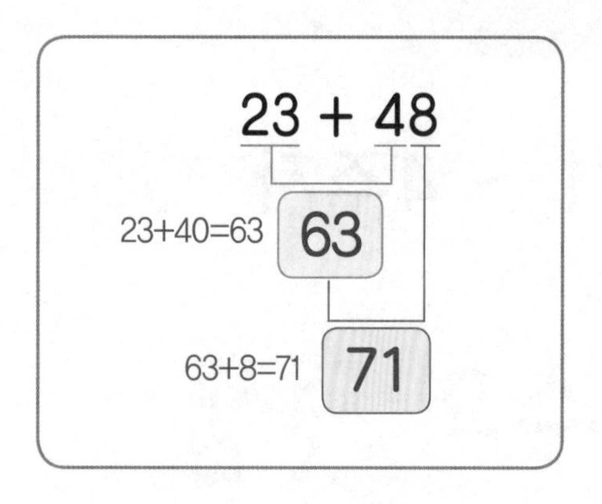

26 + 39

46 + 27

55 + 19

67 + 24

38 + 78

10을 만들어 계산하는 기본적인 덧셈 방법 외에 여러 가지 방법들을 접해 보면서 다양한 사고를 할 수 있도록 합니다.

□ 안에 알맞은 수를 써넣어 덧셈을 해 보세요.

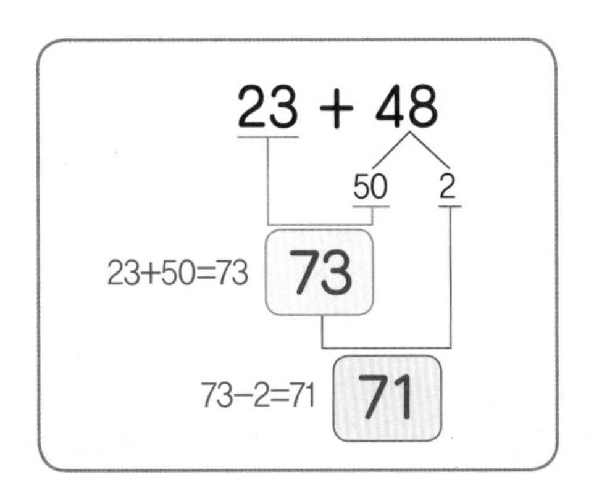

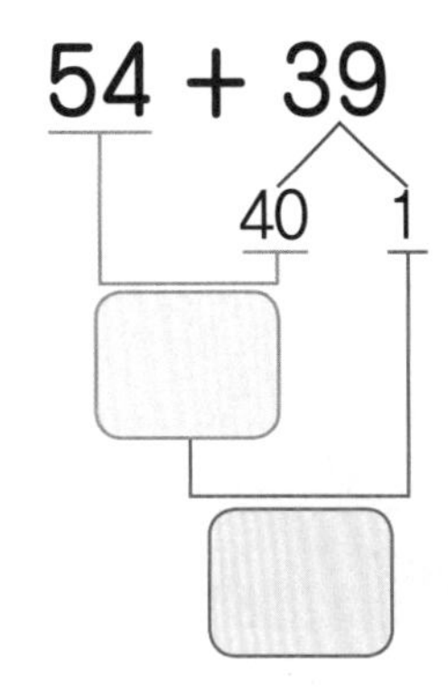

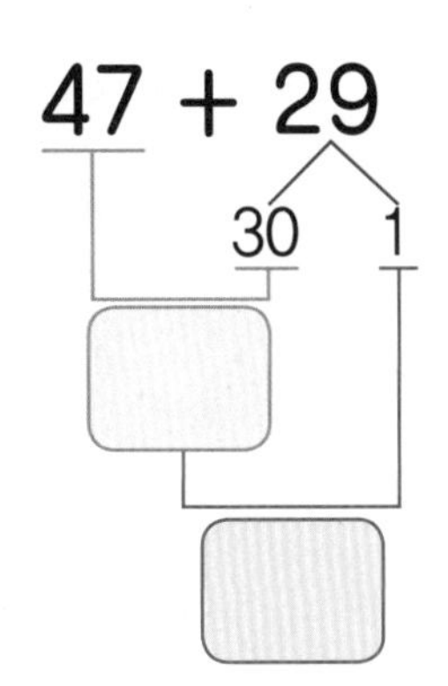

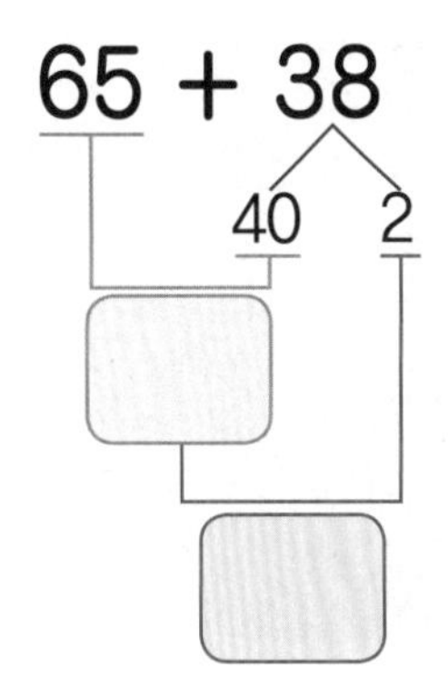

55 + 28

30 □

85

□

34 + 49

50 □

84

□

사다리 세로셈

덧셈을 하여 빈칸에 알맞은 수를 써넣으세요.

덧셈을 하여 빈칸에 알맞은 수를 써넣으세요.

78
+84

벌레 먹은 덧셈

빈칸에 알맞은 수를 써넣으세요.

$\begin{array}{r} 5\,4 \\ +\ 7\,7 \\ \hline 1\,3\,1 \end{array}$

$\begin{array}{r} 5\,6 \\ +\ 8\,\square \\ \hline 1\,\square\,1 \end{array}$

$\begin{array}{r} 3\,\square \\ +\ 8\,9 \\ \hline 1\,\square\,1 \end{array}$

$\begin{array}{r} 7\,\square \\ +\ 7\,3 \\ \hline \square\,5\,1 \end{array}$

$\begin{array}{r} 6\,\square \\ +\ 5\,8 \\ \hline 1\,\square\,1 \end{array}$

$\begin{array}{r} 5\,\square \\ +\ 5\,5 \\ \hline \square\,1\,1 \end{array}$

$\begin{array}{r} 7\,5 \\ +\ 6\,\square \\ \hline 1\,\square\,4 \end{array}$

$\begin{array}{r} \square\,8 \\ +\ 8\,4 \\ \hline 1\,4\,\square \end{array}$

$\begin{array}{r} 6\,9 \\ +\ \square\,4 \\ \hline 1\,5\,\square \end{array}$

$\begin{array}{r} \square\,8 \\ +\ 7\,8 \\ \hline 1\,6\,\square \end{array}$

$\begin{array}{r} 9\,7 \\ +\ \square\,4 \\ \hline 1\,7\,\square \end{array}$

$\begin{array}{r} 4\,6 \\ +\ 7\,\square \\ \hline 1\,\square\,4 \end{array}$

빈칸에 알맞은 수를 써넣으세요.

1. 33 + 7□ = 1□2
2. 5□ + 86 = 1□4
3. 69 + 6□ = 1□1
4. 4□ + 97 = 1□3
5. 8□ + 75 = □64
6. 9□ + 14 = □11
7. □8 + 53 = 14□
8. 74 + □6 = 15□
9. 26 + 8□ = 1□4
10. 59 + □4 = 13□
11. 91 + 2□ = 1□0
12. □3 + 88 = 18□

덧셈 퍼즐

사다리를 타고 내려와 □ 안에 알맞은 수를 써넣으세요.

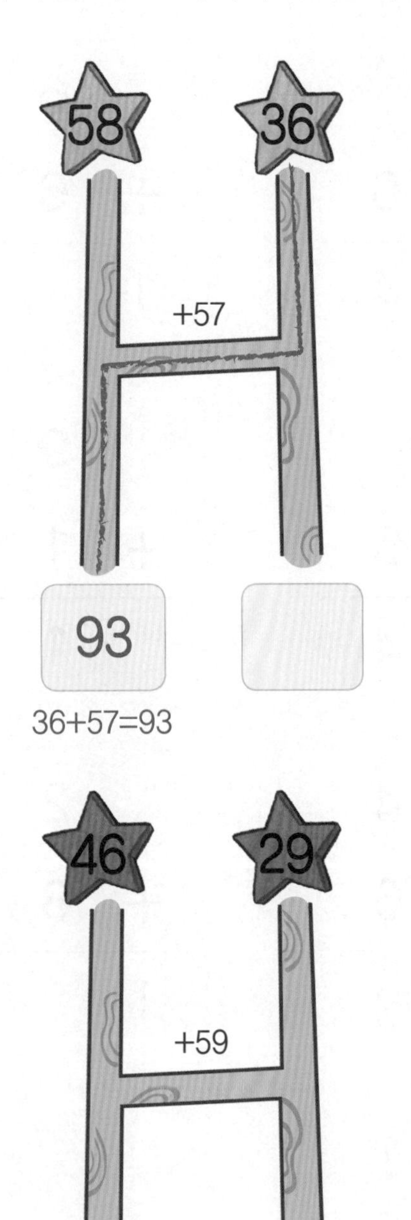

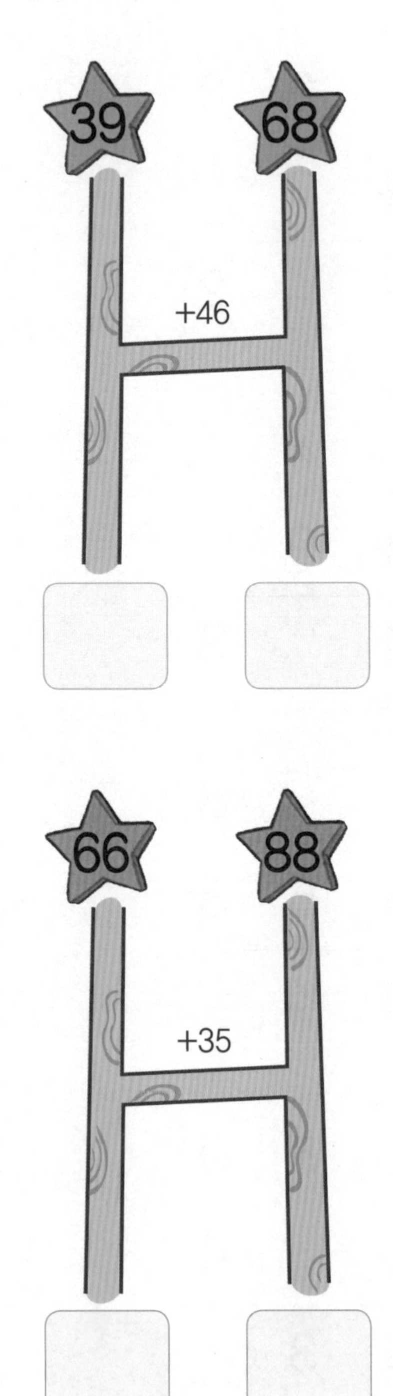

올바른 계산 결과를 찾아 선을 그어 보세요.

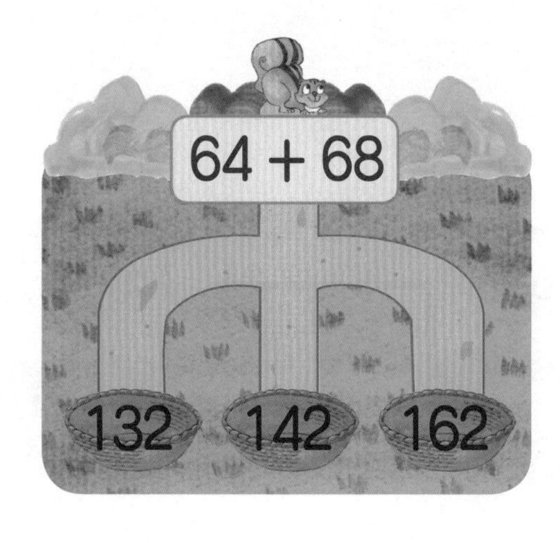

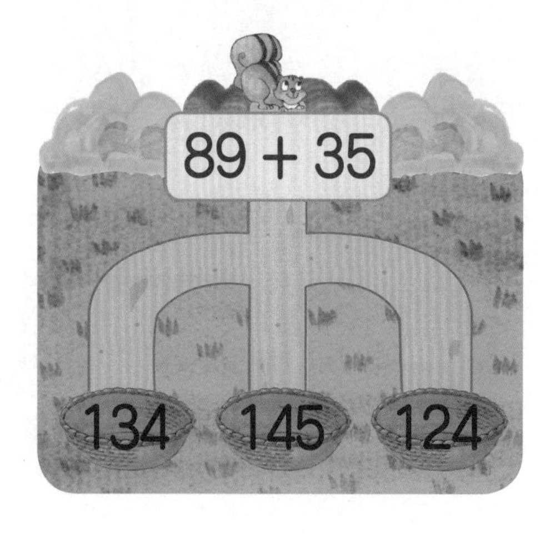

올바른 계산 결과를 찾아 선을 그어 보세요.

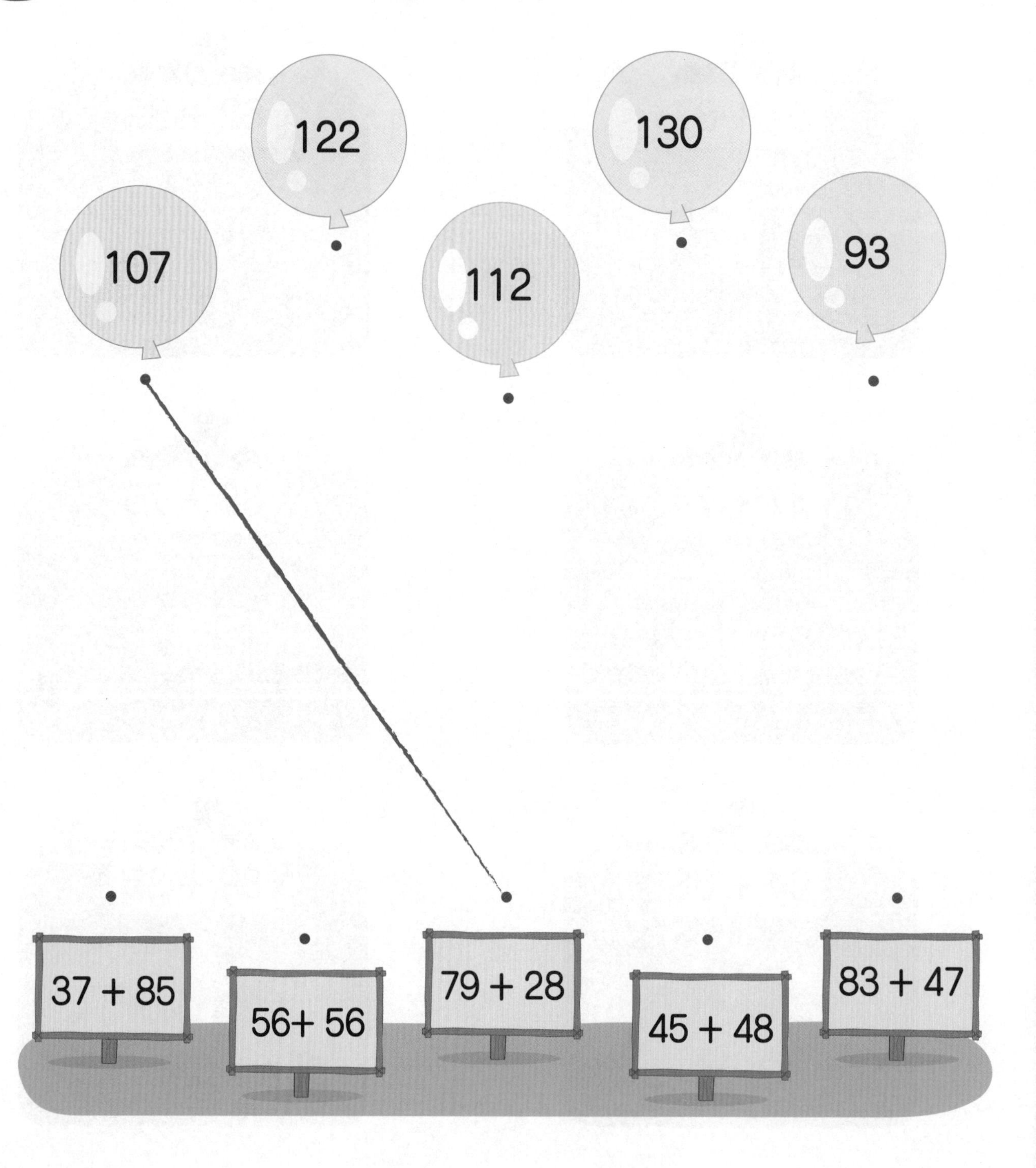

문장제

이야기를 읽고, 축구시합을 응원한 학생들의 수를 구하세요.

1반과 2반이 축구시합을 하기로 한 날, 각 반의 친구들이 운동장에 모여 응원을 합니다.
연지가 있는 1반은 57명이, 2반은 45명의 학생들이 응원을 했습니다.
"우리 반이 응원하는 사람 수가 더 많으니까 이기겠지?"
시합이 시작되고 먼저 1반에서 한 골이 나왔습니다. 하지만 시합이 끝날 때 쯤 2반에서도 골이 나와서 결국 무승부로 끝이 났습니다.
축구시합을 응원한 학생들은 모두 몇 명일까요?

식 : ______________ ☐ 명

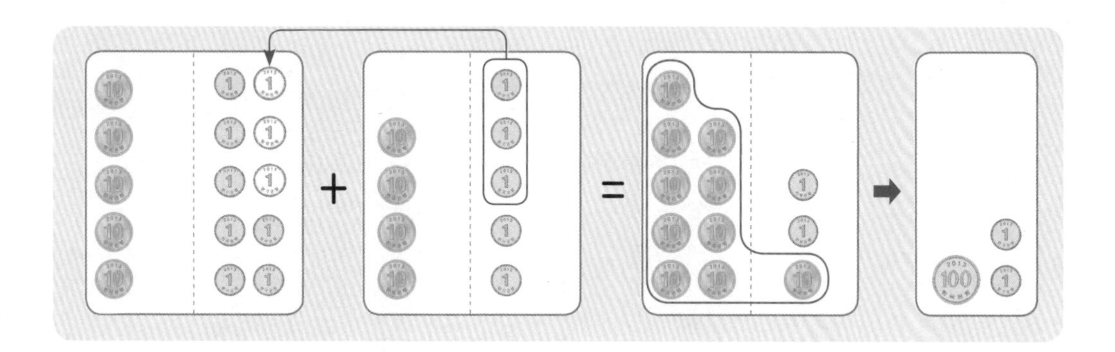

 다음을 읽고 알맞은 덧셈식을 쓰고, 답을 구하세요.

회전목마에 39명의 사람이 타고 있습니다. 48명이 더 탔다면 회전목마에 탄 사람은 모두 몇 명일까요?

식 : ______________ 명

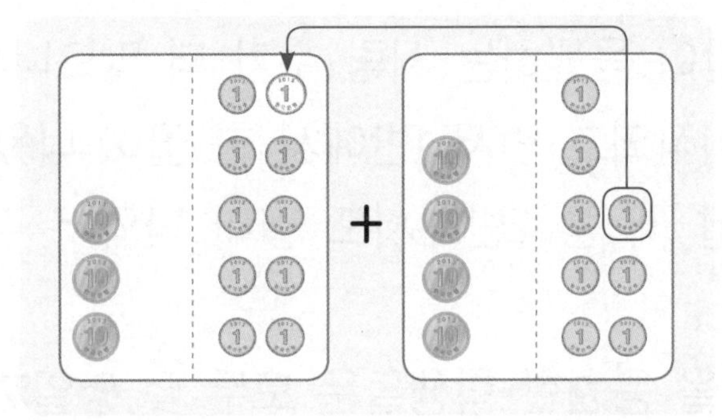

과수원에 사과나무가 68그루, 배나무가 45그루 있습니다. 사과나무와 배나무는 모두 몇 그루일까요?

식 : ______________ 그루

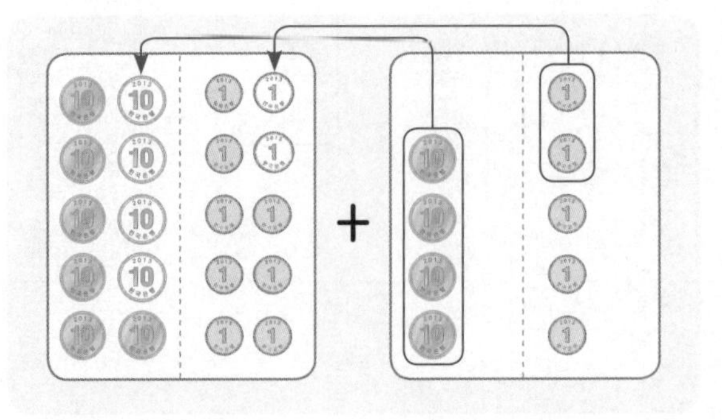

다음을 읽고 알맞은 덧셈식을 쓰고, 답을 구하세요.

주머니에 검은색 바둑돌 28개와 흰색 바둑돌 54개가 들어 있습니다. 주머니에 들어있는 바둑돌은 모두 몇 개일까요?

식 :

개

성규가 딱지를 65개 모았습니다. 형은 성규보다 39개 더 모았다면 형이 모은 딱지는 모두 몇 개일까요?

식 :

개

과일가게에서 오늘 사과 46개와 배 74개를 팔았습니다. 오늘 판 과일은 모두 몇 개일까요?

식 :

개

다음을 읽고 알맞은 덧셈식을 쓰고, 답을 구하세요.

도서관에 58명의 학생들이 책을 보고 있습니다. 혜지네 반 친구들 39명이 도서관에 갔다면 이 도서관에 있는 학생들은 모두 몇 명일까요?

식 :

명

우리에 돼지 76마리가 있습니다. 돼지가 45마리 더 들어왔다면 우리에 있는 돼지는 모두 몇 마리일까요?

식 :

마리

수정이가 이번 주에 수학 문제를 65개, 영어 문제를 47개 풀었습니다. 수정이가 이번 주에 푼 문제들은 모두 몇 개일까요?

식 :

개

보충학습

Drill

세 자리 수 알아보기

100씩 뛰어 세어 빈칸에 알맞은 수를 써넣으세요.

244	344					844

190	290					790

365	465	565				

287	387					887

155	255	355				

301	401					901

10씩 뛰어 세어 빈칸에 알맞은 수를 써넣으세요.

420	430	440				

356	366	376				

207	217					267

644	654	664				

587	597	607				

705	715					765

1씩 뛰어 세어 빈칸에 알맞은 수를 써넣으세요.

163	164	165				

284	285	286				

663	664					669

700	701	702				

816	817	818				

555	556					561

규칙을 찾아 빈칸에 알맞은 수를 써넣으세요.

261	361	461		661		

705	706			709	710	

284	384	484	584			

406		426	436	446		

326	336		356			386

536	537	538			541	

받아올림이 한 번 있는 덧셈

□ 안에 알맞은 수를 써넣으세요.

$$\begin{array}{r} 29 \\ +\ 44 \\ \hline \square \end{array} \quad \begin{array}{r} 38 \\ +\ 35 \\ \hline \square \end{array} \quad \begin{array}{r} 34 \\ +\ 36 \\ \hline \square \end{array} \quad \begin{array}{r} 23 \\ +\ 57 \\ \hline \square \end{array}$$

$$\begin{array}{r} 48 \\ +\ 46 \\ \hline \square \end{array} \quad \begin{array}{r} 55 \\ +\ 15 \\ \hline \square \end{array} \quad \begin{array}{r} 75 \\ +\ 18 \\ \hline \square \end{array} \quad \begin{array}{r} 59 \\ +\ 22 \\ \hline \square \end{array}$$

$$\begin{array}{r} 49 \\ +\ 21 \\ \hline \square \end{array} \quad \begin{array}{r} 66 \\ +\ 24 \\ \hline \square \end{array} \quad \begin{array}{r} 48 \\ +\ 33 \\ \hline \square \end{array} \quad \begin{array}{r} 27 \\ +\ 33 \\ \hline \square \end{array}$$

$$\begin{array}{r} 36 \\ +\ 45 \\ \hline \square \end{array} \quad \begin{array}{r} 66 \\ +\ 16 \\ \hline \square \end{array} \quad \begin{array}{r} 79 \\ +\ 13 \\ \hline \square \end{array} \quad \begin{array}{r} 69 \\ +\ 24 \\ \hline \square \end{array}$$

□ 안에 알맞은 수를 써넣으세요.

$$\begin{array}{r} 17 \\ +\ 55 \\ \hline \square \end{array} \quad \begin{array}{r} 26 \\ +\ 45 \\ \hline \square \end{array} \quad \begin{array}{r} 36 \\ +\ 36 \\ \hline \square \end{array} \quad \begin{array}{r} 36 \\ +\ 47 \\ \hline \square \end{array}$$

$$\begin{array}{r} 45 \\ +\ 46 \\ \hline \square \end{array} \quad \begin{array}{r} 55 \\ +\ 18 \\ \hline \square \end{array} \quad \begin{array}{r} 33 \\ +\ 38 \\ \hline \square \end{array} \quad \begin{array}{r} 49 \\ +\ 22 \\ \hline \square \end{array}$$

$$\begin{array}{r} 59 \\ +\ 25 \\ \hline \square \end{array} \quad \begin{array}{r} 47 \\ +\ 14 \\ \hline \square \end{array} \quad \begin{array}{r} 15 \\ +\ 75 \\ \hline \square \end{array} \quad \begin{array}{r} 36 \\ +\ 37 \\ \hline \square \end{array}$$

$$\begin{array}{r} 39 \\ +\ 25 \\ \hline \square \end{array} \quad \begin{array}{r} 56 \\ +\ 34 \\ \hline \square \end{array} \quad \begin{array}{r} 49 \\ +\ 43 \\ \hline \square \end{array} \quad \begin{array}{r} 37 \\ +\ 35 \\ \hline \square \end{array}$$

□ 안에 알맞은 수를 써넣으세요.

$$\begin{array}{r} 44 \\ +\ 38 \\ \hline \square \end{array} \quad \begin{array}{r} 14 \\ +\ 47 \\ \hline \square \end{array} \quad \begin{array}{r} 28 \\ +\ 23 \\ \hline \square \end{array} \quad \begin{array}{r} 16 \\ +\ 67 \\ \hline \square \end{array}$$

$$\begin{array}{r} 27 \\ +\ 66 \\ \hline \square \end{array} \quad \begin{array}{r} 57 \\ +\ 28 \\ \hline \square \end{array} \quad \begin{array}{r} 38 \\ +\ 48 \\ \hline \square \end{array} \quad \begin{array}{r} 49 \\ +\ 29 \\ \hline \square \end{array}$$

$$\begin{array}{r} 58 \\ +\ 35 \\ \hline \square \end{array} \quad \begin{array}{r} 24 \\ +\ 29 \\ \hline \square \end{array} \quad \begin{array}{r} 35 \\ +\ 37 \\ \hline \square \end{array} \quad \begin{array}{r} 53 \\ +\ 38 \\ \hline \square \end{array}$$

$$\begin{array}{r} 44 \\ +\ 49 \\ \hline \square \end{array} \quad \begin{array}{r} 23 \\ +\ 39 \\ \hline \square \end{array} \quad \begin{array}{r} 46 \\ +\ 16 \\ \hline \square \end{array} \quad \begin{array}{r} 76 \\ +\ 16 \\ \hline \square \end{array}$$

□ 안에 알맞은 수를 써넣으세요.

$$\begin{array}{r} 56 \\ +\ 25 \\ \hline \square \end{array}$$

$$\begin{array}{r} 38 \\ +\ 35 \\ \hline \square \end{array}$$

$$\begin{array}{r} 29 \\ +\ 19 \\ \hline \square \end{array}$$

$$\begin{array}{r} 38 \\ +\ 37 \\ \hline \square \end{array}$$

$$\begin{array}{r} 62 \\ +\ 18 \\ \hline \square \end{array}$$

$$\begin{array}{r} 24 \\ +\ 26 \\ \hline \square \end{array}$$

$$\begin{array}{r} 43 \\ +\ 37 \\ \hline \square \end{array}$$

$$\begin{array}{r} 65 \\ +\ 16 \\ \hline \square \end{array}$$

$$\begin{array}{r} 17 \\ +\ 77 \\ \hline \square \end{array}$$

$$\begin{array}{r} 25 \\ +\ 67 \\ \hline \square \end{array}$$

$$\begin{array}{r} 47 \\ +\ 35 \\ \hline \square \end{array}$$

$$\begin{array}{r} 26 \\ +\ 39 \\ \hline \square \end{array}$$

$$\begin{array}{r} 37 \\ +\ 39 \\ \hline \square \end{array}$$

$$\begin{array}{r} 45 \\ +\ 35 \\ \hline \square \end{array}$$

$$\begin{array}{r} 67 \\ +\ 13 \\ \hline \square \end{array}$$

$$\begin{array}{r} 54 \\ +\ 28 \\ \hline \square \end{array}$$

받아올림이 두 번 있는 덧셈

□ 안에 알맞은 수를 써넣으세요.

$$\begin{array}{r} 59 \\ +\ 46 \\ \hline \square \end{array} \quad \begin{array}{r} 65 \\ +\ 65 \\ \hline \square \end{array} \quad \begin{array}{r} 74 \\ +\ 37 \\ \hline \square \end{array} \quad \begin{array}{r} 68 \\ +\ 47 \\ \hline \square \end{array}$$

$$\begin{array}{r} 88 \\ +\ 45 \\ \hline \square \end{array} \quad \begin{array}{r} 57 \\ +\ 65 \\ \hline \square \end{array} \quad \begin{array}{r} 75 \\ +\ 58 \\ \hline \square \end{array} \quad \begin{array}{r} 58 \\ +\ 52 \\ \hline \square \end{array}$$

$$\begin{array}{r} 49 \\ +\ 74 \\ \hline \square \end{array} \quad \begin{array}{r} 86 \\ +\ 27 \\ \hline \square \end{array} \quad \begin{array}{r} 96 \\ +\ 34 \\ \hline \square \end{array} \quad \begin{array}{r} 77 \\ +\ 46 \\ \hline \square \end{array}$$

$$\begin{array}{r} 66 \\ +\ 45 \\ \hline \square \end{array} \quad \begin{array}{r} 63 \\ +\ 69 \\ \hline \square \end{array} \quad \begin{array}{r} 39 \\ +\ 73 \\ \hline \square \end{array} \quad \begin{array}{r} 69 \\ +\ 52 \\ \hline \square \end{array}$$

□ 안에 알맞은 수를 써넣으세요.

$$\begin{array}{r} 47 \\ +\ 55 \\ \hline \square \end{array} \quad \begin{array}{r} 66 \\ +\ 44 \\ \hline \square \end{array} \quad \begin{array}{r} 74 \\ +\ 36 \\ \hline \square \end{array} \quad \begin{array}{r} 88 \\ +\ 43 \\ \hline \square \end{array}$$

$$\begin{array}{r} 75 \\ +\ 46 \\ \hline \square \end{array} \quad \begin{array}{r} 56 \\ +\ 58 \\ \hline \square \end{array} \quad \begin{array}{r} 73 \\ +\ 37 \\ \hline \square \end{array} \quad \begin{array}{r} 79 \\ +\ 26 \\ \hline \square \end{array}$$

$$\begin{array}{r} 59 \\ +\ 74 \\ \hline \square \end{array} \quad \begin{array}{r} 97 \\ +\ 13 \\ \hline \square \end{array} \quad \begin{array}{r} 39 \\ +\ 85 \\ \hline \square \end{array} \quad \begin{array}{r} 96 \\ +\ 37 \\ \hline \square \end{array}$$

$$\begin{array}{r} 79 \\ +\ 45 \\ \hline \square \end{array} \quad \begin{array}{r} 56 \\ +\ 56 \\ \hline \square \end{array} \quad \begin{array}{r} 49 \\ +\ 76 \\ \hline \square \end{array} \quad \begin{array}{r} 85 \\ +\ 85 \\ \hline \square \end{array}$$

□ 안에 알맞은 수를 써넣으세요.

$\begin{array}{r} 62 \\ +\ 88 \\ \hline \square \end{array}$	$\begin{array}{r} 76 \\ +\ 47 \\ \hline \square \end{array}$	$\begin{array}{r} 48 \\ +\ 83 \\ \hline \square \end{array}$	$\begin{array}{r} 36 \\ +\ 67 \\ \hline \square \end{array}$
$\begin{array}{r} 64 \\ +\ 46 \\ \hline \square \end{array}$	$\begin{array}{r} 55 \\ +\ 88 \\ \hline \square \end{array}$	$\begin{array}{r} 14 \\ +\ 98 \\ \hline \square \end{array}$	$\begin{array}{r} 63 \\ +\ 57 \\ \hline \square \end{array}$
$\begin{array}{r} 68 \\ +\ 34 \\ \hline \square \end{array}$	$\begin{array}{r} 96 \\ +\ 24 \\ \hline \square \end{array}$	$\begin{array}{r} 67 \\ +\ 37 \\ \hline \square \end{array}$	$\begin{array}{r} 56 \\ +\ 86 \\ \hline \square \end{array}$
$\begin{array}{r} 67 \\ +\ 39 \\ \hline \square \end{array}$	$\begin{array}{r} 65 \\ +\ 39 \\ \hline \square \end{array}$	$\begin{array}{r} 47 \\ +\ 96 \\ \hline \square \end{array}$	$\begin{array}{r} 75 \\ +\ 56 \\ \hline \square \end{array}$

□ 안에 알맞은 수를 써넣으세요.

$$\begin{array}{r} 56 \\ +\ 57 \\ \hline \square \end{array} \quad \begin{array}{r} 98 \\ +\ 34 \\ \hline \square \end{array} \quad \begin{array}{r} 29 \\ +\ 92 \\ \hline \square \end{array} \quad \begin{array}{r} 58 \\ +\ 66 \\ \hline \square \end{array}$$

$$\begin{array}{r} 62 \\ +\ 78 \\ \hline \square \end{array} \quad \begin{array}{r} 84 \\ +\ 28 \\ \hline \square \end{array} \quad \begin{array}{r} 74 \\ +\ 27 \\ \hline \square \end{array} \quad \begin{array}{r} 65 \\ +\ 36 \\ \hline \square \end{array}$$

$$\begin{array}{r} 37 \\ +\ 79 \\ \hline \square \end{array} \quad \begin{array}{r} 65 \\ +\ 67 \\ \hline \square \end{array} \quad \begin{array}{r} 97 \\ +\ 38 \\ \hline \square \end{array} \quad \begin{array}{r} 21 \\ +\ 99 \\ \hline \square \end{array}$$

$$\begin{array}{r} 83 \\ +\ 39 \\ \hline \square \end{array} \quad \begin{array}{r} 65 \\ +\ 35 \\ \hline \square \end{array} \quad \begin{array}{r} 67 \\ +\ 53 \\ \hline \square \end{array} \quad \begin{array}{r} 56 \\ +\ 48 \\ \hline \square \end{array}$$

두 자리 수의 덧셈

□ 안에 알맞은 수를 써넣으세요.

$$\begin{array}{r} 24 \\ +\ 39 \\ \hline \square \end{array} \quad \begin{array}{r} 77 \\ +\ 45 \\ \hline \square \end{array} \quad \begin{array}{r} 28 \\ +\ 64 \\ \hline \square \end{array} \quad \begin{array}{r} 46 \\ +\ 59 \\ \hline \square \end{array}$$

$$\begin{array}{r} 56 \\ +\ 56 \\ \hline \square \end{array} \quad \begin{array}{r} 57 \\ +\ 36 \\ \hline \square \end{array} \quad \begin{array}{r} 84 \\ +\ 48 \\ \hline \square \end{array} \quad \begin{array}{r} 79 \\ +\ 14 \\ \hline \square \end{array}$$

$$\begin{array}{r} 75 \\ +\ 55 \\ \hline \square \end{array} \quad \begin{array}{r} 58 \\ +\ 68 \\ \hline \square \end{array} \quad \begin{array}{r} 35 \\ +\ 97 \\ \hline \square \end{array} \quad \begin{array}{r} 63 \\ +\ 28 \\ \hline \square \end{array}$$

$$\begin{array}{r} 14 \\ +\ 69 \\ \hline \square \end{array} \quad \begin{array}{r} 29 \\ +\ 39 \\ \hline \square \end{array} \quad \begin{array}{r} 48 \\ +\ 86 \\ \hline \square \end{array} \quad \begin{array}{r} 76 \\ +\ 24 \\ \hline \square \end{array}$$

□ 안에 알맞은 수를 써넣으세요.

$$\begin{array}{r} 57 \\ +\ 26 \\ \hline \square \end{array} \quad \begin{array}{r} 43 \\ +\ 39 \\ \hline \square \end{array} \quad \begin{array}{r} 86 \\ +\ 34 \\ \hline \square \end{array} \quad \begin{array}{r} 76 \\ +\ 67 \\ \hline \square \end{array}$$

$$\begin{array}{r} 36 \\ +\ 46 \\ \hline \square \end{array} \quad \begin{array}{r} 55 \\ +\ 27 \\ \hline \square \end{array} \quad \begin{array}{r} 34 \\ +\ 98 \\ \hline \square \end{array} \quad \begin{array}{r} 59 \\ +\ 54 \\ \hline \square \end{array}$$

$$\begin{array}{r} 69 \\ +\ 24 \\ \hline \square \end{array} \quad \begin{array}{r} 97 \\ +\ 23 \\ \hline \square \end{array} \quad \begin{array}{r} 55 \\ +\ 75 \\ \hline \square \end{array} \quad \begin{array}{r} 67 \\ +\ 67 \\ \hline \square \end{array}$$

$$\begin{array}{r} 89 \\ +\ 13 \\ \hline \square \end{array} \quad \begin{array}{r} 76 \\ +\ 35 \\ \hline \square \end{array} \quad \begin{array}{r} 39 \\ +\ 46 \\ \hline \square \end{array} \quad \begin{array}{r} 75 \\ +\ 85 \\ \hline \square \end{array}$$

□ 안에 알맞은 수를 써넣으세요.

$$\begin{array}{r} 56 \\ +\ 64 \\ \hline \square \end{array} \quad \begin{array}{r} 58 \\ +\ 35 \\ \hline \square \end{array} \quad \begin{array}{r} 69 \\ +\ 71 \\ \hline \square \end{array} \quad \begin{array}{r} 64 \\ +\ 86 \\ \hline \square \end{array}$$

$$\begin{array}{r} 52 \\ +\ 79 \\ \hline \square \end{array} \quad \begin{array}{r} 48 \\ +\ 33 \\ \hline \square \end{array} \quad \begin{array}{r} 64 \\ +\ 18 \\ \hline \square \end{array} \quad \begin{array}{r} 75 \\ +\ 58 \\ \hline \square \end{array}$$

$$\begin{array}{r} 47 \\ +\ 88 \\ \hline \square \end{array} \quad \begin{array}{r} 69 \\ +\ 64 \\ \hline \square \end{array} \quad \begin{array}{r} 94 \\ +\ 48 \\ \hline \square \end{array} \quad \begin{array}{r} 31 \\ +\ 69 \\ \hline \square \end{array}$$

$$\begin{array}{r} 54 \\ +\ 49 \\ \hline \square \end{array} \quad \begin{array}{r} 85 \\ +\ 35 \\ \hline \square \end{array} \quad \begin{array}{r} 27 \\ +\ 56 \\ \hline \square \end{array} \quad \begin{array}{r} 56 \\ +\ 29 \\ \hline \square \end{array}$$

□ 안에 알맞은 수를 써넣으세요.

$$\begin{array}{r} 43 \\ +\ 79 \\ \hline \square \end{array} \quad \begin{array}{r} 38 \\ +\ 37 \\ \hline \square \end{array} \quad \begin{array}{r} 68 \\ +\ 26 \\ \hline \square \end{array} \quad \begin{array}{r} 46 \\ +\ 77 \\ \hline \square \end{array}$$

$$\begin{array}{r} 87 \\ +\ 16 \\ \hline \square \end{array} \quad \begin{array}{r} 87 \\ +\ 88 \\ \hline \square \end{array} \quad \begin{array}{r} 58 \\ +\ 54 \\ \hline \square \end{array} \quad \begin{array}{r} 69 \\ +\ 81 \\ \hline \square \end{array}$$

$$\begin{array}{r} 64 \\ +\ 57 \\ \hline \square \end{array} \quad \begin{array}{r} 24 \\ +\ 68 \\ \hline \square \end{array} \quad \begin{array}{r} 76 \\ +\ 37 \\ \hline \square \end{array} \quad \begin{array}{r} 38 \\ +\ 39 \\ \hline \square \end{array}$$

$$\begin{array}{r} 54 \\ +\ 48 \\ \hline \square \end{array} \quad \begin{array}{r} 87 \\ +\ 39 \\ \hline \square \end{array} \quad \begin{array}{r} 49 \\ +\ 56 \\ \hline \square \end{array} \quad \begin{array}{r} 66 \\ +\ 68 \\ \hline \square \end{array}$$

Note

소마의 마술같은 원리셈

정답

P 12 ~ 13

신나는 연산!

수를 세어 □ 안에 알맞은 수를 써넣으세요.

→ 200

→ 400

→ 500

→ 300

→ 100

→ 800

→ 700

→ 600

12 소마셈 - B1

1주

□ 안에 알맞은 수를 써넣으세요.

200 300 400

300 400 500

100 200 300

500 600 700

400 500 600

700 800 900

□ 안에 있는 수와 더 가까운 수를 찾아 ○표 하세요.

300 400 800

500 700 600

100 300 600

400 600 900

1주 - 세 자리 수 알아보기 13

P 14 ~ 15

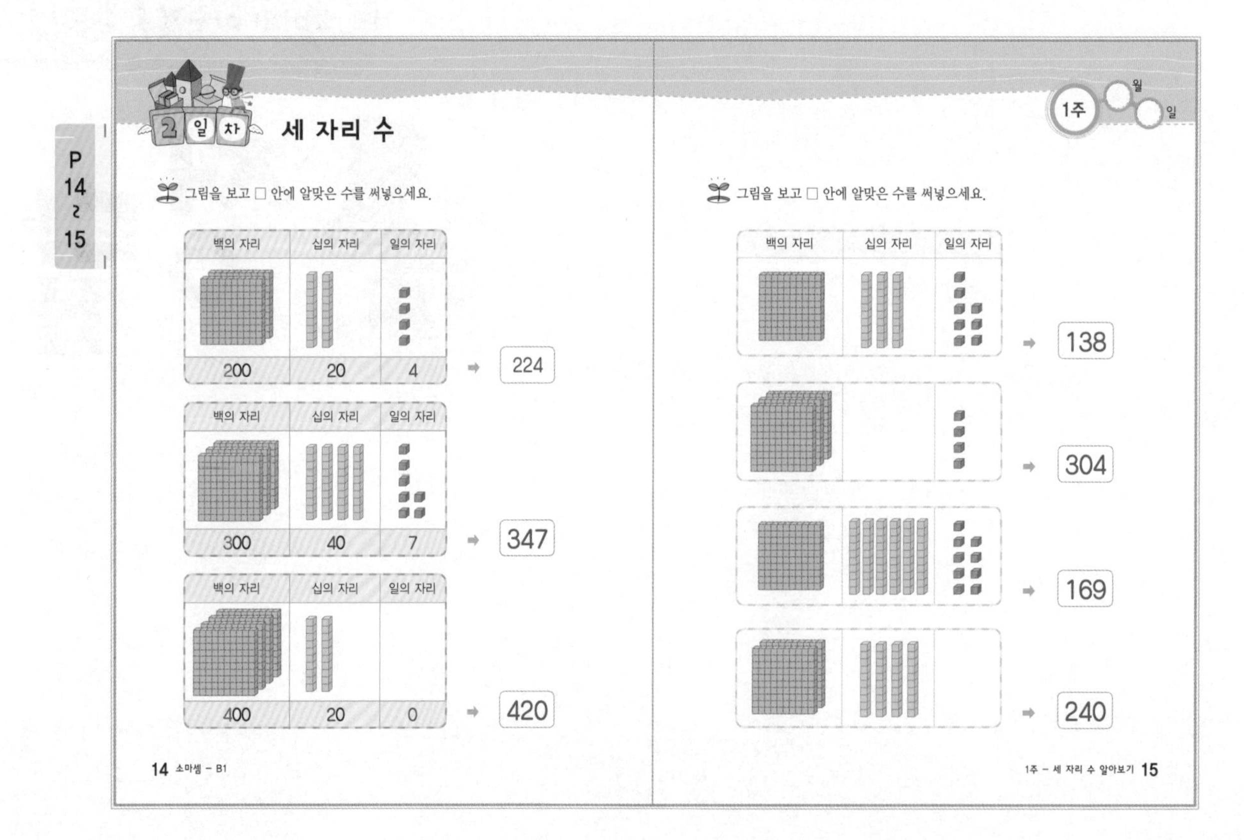

2일차 세 자리 수

1주 월 일

그림을 보고 □ 안에 알맞은 수를 써넣으세요.

백의 자리	십의 자리	일의 자리	
200	20	4	→ 224
300	40	7	→ 347
400	20	0	→ 420

14 소마셈 - B1

그림을 보고 □ 안에 알맞은 수를 써넣으세요.

백의 자리 십의 자리 일의 자리

→ 138

→ 304

→ 169

→ 240

1주 - 세 자리 수 알아보기 15

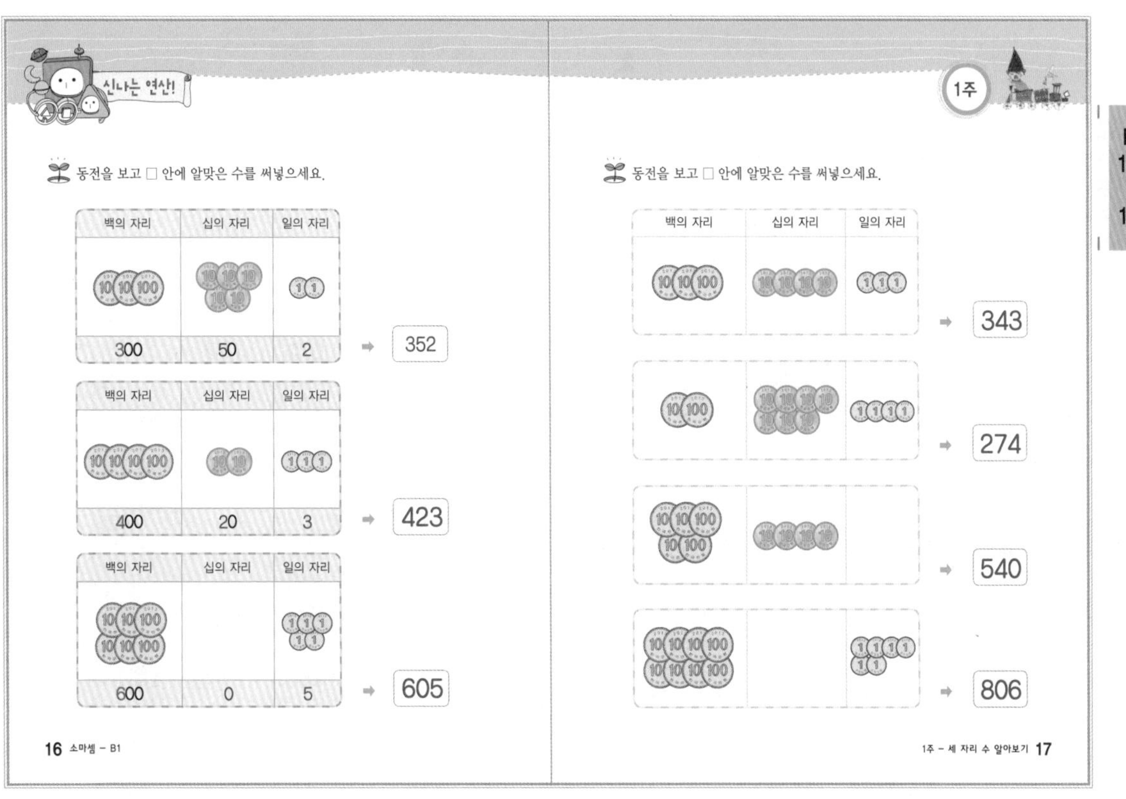
신나는 연산!
1주
P 16 ~ 17
동전을 보고 □ 안에 알맞은 수를 써넣으세요.
백의 자리
십의 자리
일의 자리
300
50
2
352
400
20
3
423
600
0
5
605
343
274
540
806
16 소마셈 - B1
1주 - 세 자리 수 알아보기 17

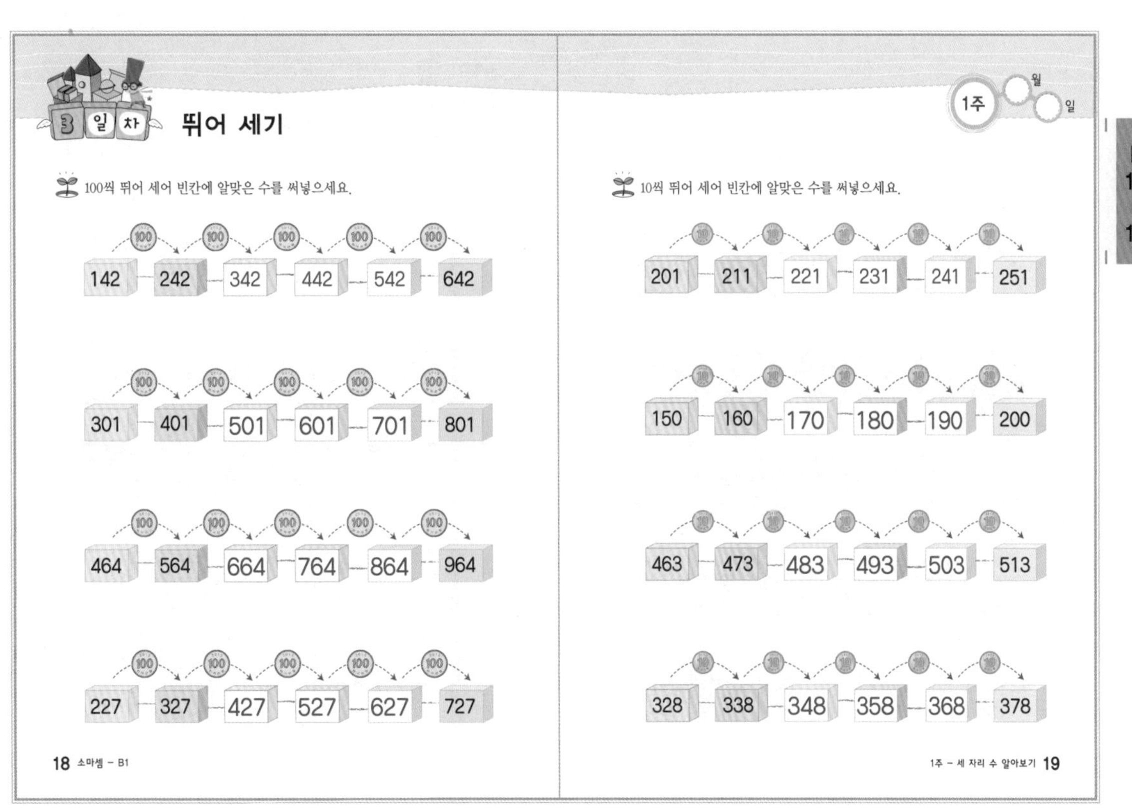
3일차 뛰어 세기
1주 월 일
P 18 ~ 19
100씩 뛰어 세어 빈칸에 알맞은 수를 써넣으세요.
142 242 342 442 542 642
301 401 501 601 701 801
464 564 664 764 864 964
227 327 427 527 627 727
10씩 뛰어 세어 빈칸에 알맞은 수를 써넣으세요.
201 211 221 231 241 251
150 160 170 180 190 200
463 473 483 493 503 513
328 338 348 358 368 378
18 소마셈 - B1
1주 - 세 자리 수 알아보기 19

정답

P 20 ~ 21

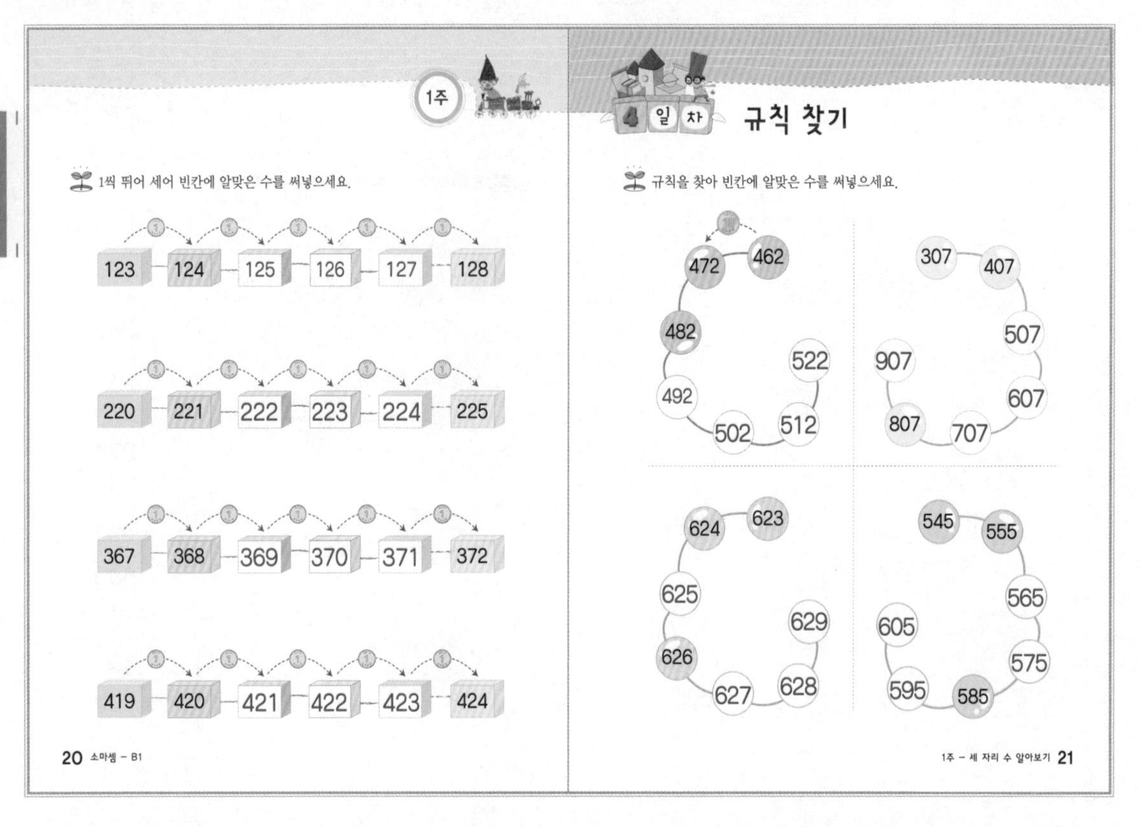

P 22 ~ 23

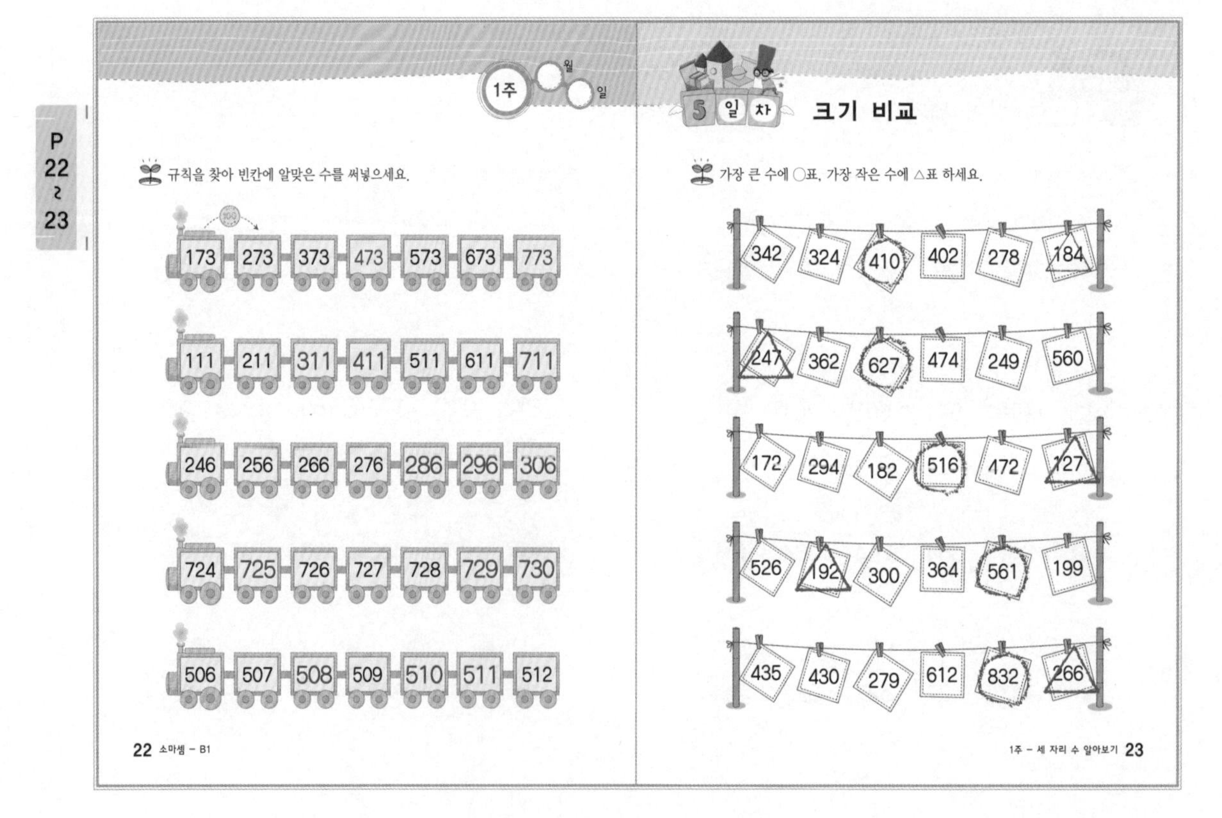

P 24

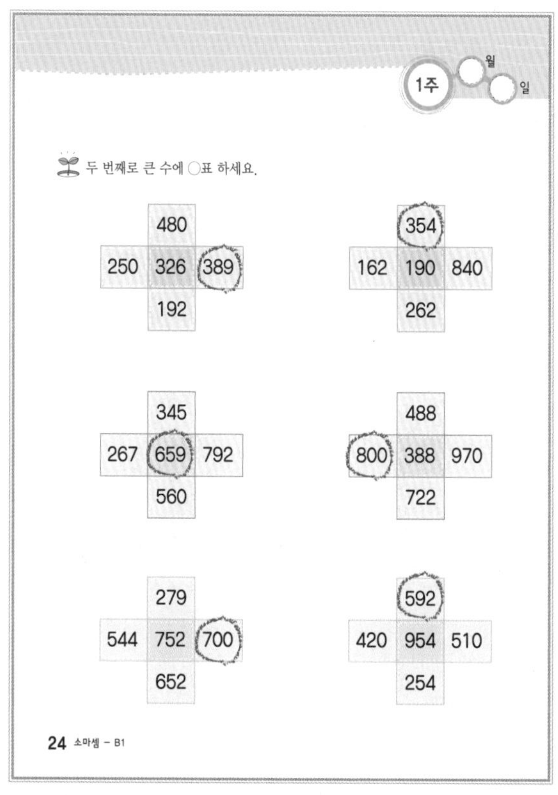

1주 월 일

두 번째로 큰 수에 ○표 하세요.

	480	
250	326	(389)
	192	

	(354)	
162	190	840
	262	

	345	
267	(659)	792
	560	

	488	
(800)	388	970
	722	

	279	
544	752	(700)
	652	

	(592)	
420	954	510
	254	

24 소마셈 – B1

P 26 ~ 27

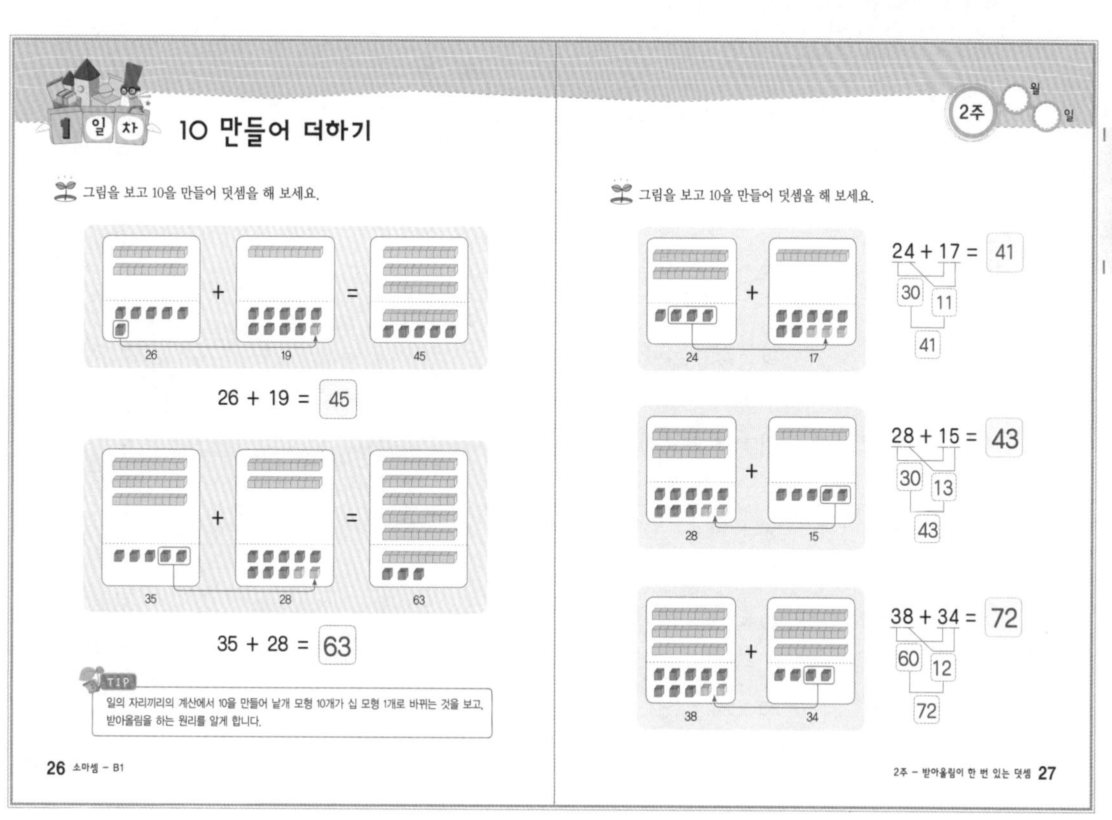

1 일차

10 만들어 더하기

그림을 보고 10을 만들어 덧셈을 해 보세요.

26 + 19 = 45

35 + 28 = 63

TIP

일의 자리끼리의 계산에서 10을 만들어 낱개 모형 10개가 십 모형 1개로 바뀌는 것을 보고, 받아올림을 하는 원리를 알게 합니다.

26 소마셈 – B1

2주 월 일

그림을 보고 10을 만들어 덧셈을 해 보세요.

24 + 17 = 41 (30, 11, 41)

28 + 15 = 43 (30, 13, 43)

38 + 34 = 72 (60, 12, 72)

2주 – 받아올림이 한 번 있는 덧셈 27

P 28 ~ 29

2주

□ 안에 알맞은 수를 써넣으세요.

18 + 26 = 44 (14, 30)

31 + 19 = 50

36 + 26 = 62

45 + 38 = 83

27 + 18 = 45

35 + 46 = 81

37 + 25 = 62

19 + 38 = 57

46 + 18 = 64

57 + 16 = 73

59 + 24 = 83

64 + 19 = 83

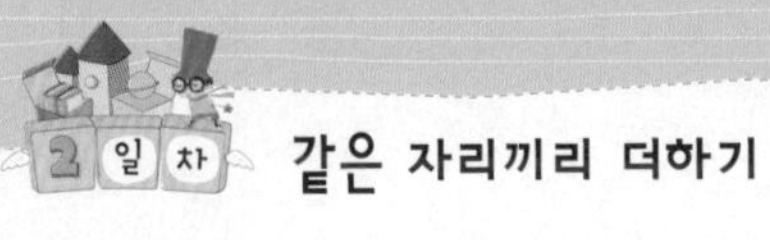

같은 자리끼리 더하기

같은 자리끼리 더하여 덧셈을 해 보세요.

28 + 14 = 42 (30, 12, 42)

37 + 28 = 65 (50, 15, 65)

19 + 35 = 54 (40, 14, 54)

26 + 44 = 70 (60, 10, 70)

28 + 47 = 75 (60, 15, 75)

P 30 ~ 31

2주 월 일

□ 안에 알맞은 수를 써넣으세요.

37 + 25 = 62 (12, 50)

36 + 27 = 63

25 + 19 = 44

19 + 35 = 54

34 + 17 = 51

28 + 26 = 54

35 + 28 = 63

56 + 14 = 70

27 + 44 = 71

49 + 13 = 62

55 + 18 = 73

36 + 28 = 64

3 일 차

세로셈 (1)

일의 자리, 십의 자리의 위치를 맞추어 □ 안에 알맞은 수를 써넣으세요.

24 + 28: 일의 자리 2 (4 + 8 = 12) → 십의 자리 5 (1 + 2 + 2 = 5) → 52

35 + 16: 일의 자리 1 → 십의 자리 5 → 51

54 + 26: 일의 자리 0 → 십의 자리 8 → 80

P 32 ~ 33

□ 안에 알맞은 수를 써넣으세요.

$37 + 24 = 61$	$45 + 15 = 60$	$58 + 24 = 82$
$26 + 28 = 54$	$37 + 17 = 54$	$67 + 16 = 83$
$58 + 23 = 81$	$43 + 29 = 72$	$22 + 28 = 50$
$46 + 37 = 83$	$24 + 57 = 81$	$26 + 46 = 72$

4일차 세로셈 (2)

□ 안에 알맞은 수를 써넣으세요.

$56 + 26 = 82$	$32 + 29 = 61$	$38 + 57 = 95$
$56 + 27 = 83$	$49 + 16 = 65$	$48 + 36 = 84$
$47 + 23 = 70$	$36 + 28 = 64$	$69 + 29 = 98$
$55 + 27 = 82$	$78 + 15 = 93$	$57 + 36 = 93$

P 34 ~ 35

2주 월 일

올바른 계산 결과를 찾아 선을 그어 보세요.

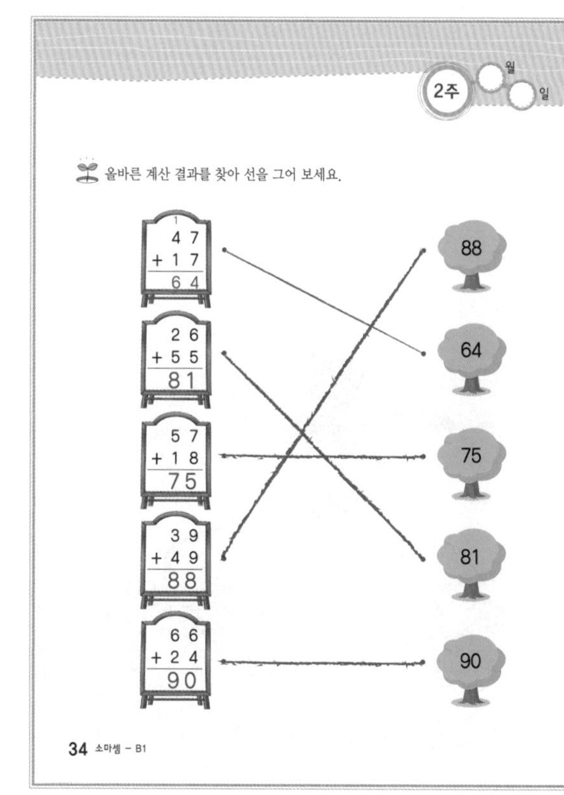

5일차 문장제

이야기를 읽고, 주민이와 친구들이 만든 쿠키의 개수를 구하세요.

주민이는 방과후 수업으로 요리 수업을 합니다.
오늘은 쿠키 만들기를 하기로 한 날이어서 특히 더 기대를 하고 있습니다. 주민이는 쿠키를 무척이나 좋아하기 때문입니다.
친구들과 함께 쿠키 만들기를 끝내고 보니 주민이는 28개, 친구들은 24개를 만들었습니다.
"역시, 쿠키를 좋아하는 주민이가 가장 많이 만들었구나!"
지켜보던 선생님이 웃으며 말했습니다.
주민이와 친구들이 만든 쿠키는 모두 몇 개일까요?

식 : 28 + 24 = 52 　 52 개

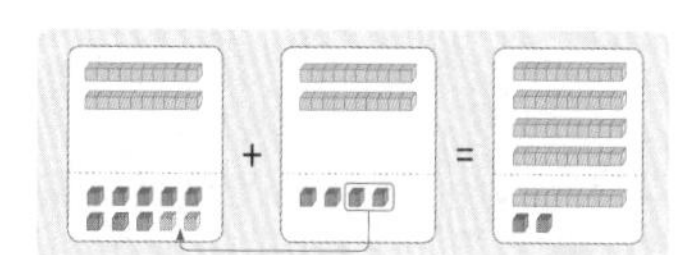

정답

P 36 ~ 37

신나는 연산!

2주 월 일

다음을 읽고 알맞은 덧셈식을 쓰고, 답을 구하세요.

현정이는 사탕 25개를 가지고 있고, 민지는 사탕 18개를 가지고 있습니다. 현정이와 민지가 가진 사탕은 모두 몇 개일까요?

식 : 25+18=43 43 개

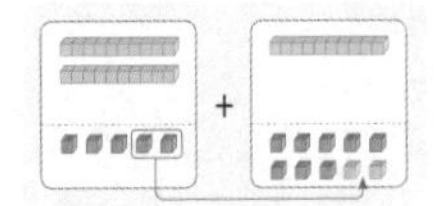

바구니에 자두 37개가 있습니다. 엄마가 자두 15개를 더 사오셨다면 자두는 모두 몇 개일까요?

식 : 37+15=52 52 개

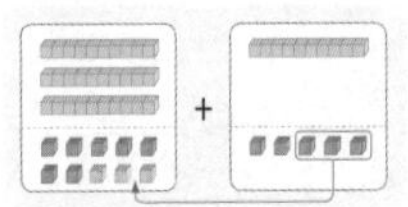

36 소마셈 - B1

다음을 읽고 알맞은 덧셈식을 쓰고, 답을 구하세요.

식탁 위에 과일이 있습니다. 사과가 33개, 귤이 29개가 있다면 식탁 위의 과일은 모두 몇 개일까요?

식 : 33+29=62  62 개

동물원 우리 안에 오리와 거위가 있습니다. 오리가 35마리, 거위가 38마리라면 우리 안의 오리와 거위는 모두 몇 마리일까요?

식 : 35+38=73  73 마리

수지는 구슬을 19개 모았습니다. 오늘 구슬 39개를 더 샀다면 수지가 가지고 있는 구슬은 모두 몇 개일까요?

식 : 19+39=58  58 개

2주 - 받아올림이 한 번 있는 덧셈 37

P 38

2주

다음을 읽고 알맞은 덧셈식을 쓰고, 답을 구하세요.

형과 동생이 종이학을 접었습니다. 그동안 접은 종이학을 세어 보니 형은 53개, 동생은 27개를 접었습니다. 두 사람이 접은 종이학은 모두 몇 개일까요?

식 : 53+27=80 80 개

꽃밭에 민들레가 38송이, 채송화가 44송이 피었습니다. 꽃밭에 핀 꽃은 모두 몇 송이일까요?

식 : 38+44=82 82 송이

연못에 물고기 46마리가 있습니다. 물고기 17마리를 더 넣었다면 연못 속의 물고기는 모두 몇 마리일까요?

식 : 46+17=63 63 마리

38 소마셈 - B1

P 40 ~ 41

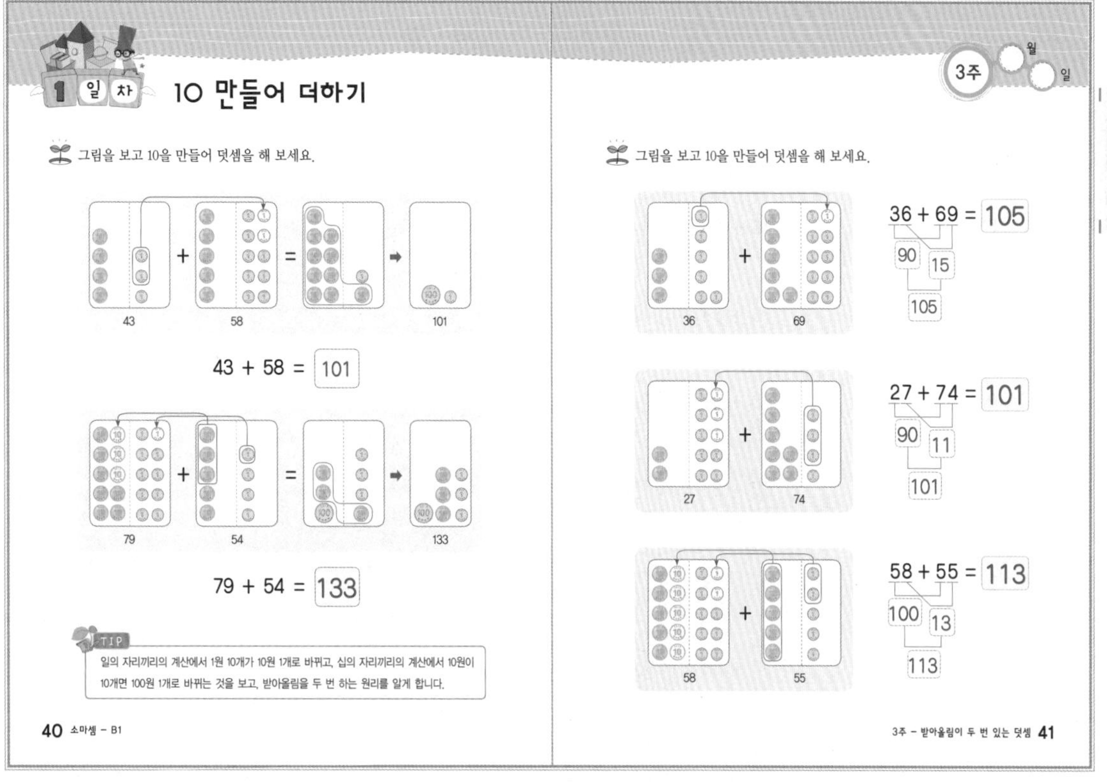
1일차 10 만들어 더하기

그림을 보고 10을 만들어 덧셈을 해 보세요.

43 + 58 = 101

79 + 54 = 133

TIP
일의 자리끼리의 계산에서 1원 10개가 10원 1개로 바뀌고, 십의 자리끼리의 계산에서 10원이 10개면 100원 1개로 바뀌는 것을 보고, 받아올림을 두 번 하는 원리를 알게 합니다.

40 소마셈 - B1

3주 월 일

그림을 보고 10을 만들어 덧셈을 해 보세요.

36 + 69 = 105 (90, 15, 105)

27 + 74 = 101 (90, 11, 101)

58 + 55 = 113 (100, 13, 113)

3주 - 받아올림이 두 번 있는 덧셈 41

P 42 ~ 43

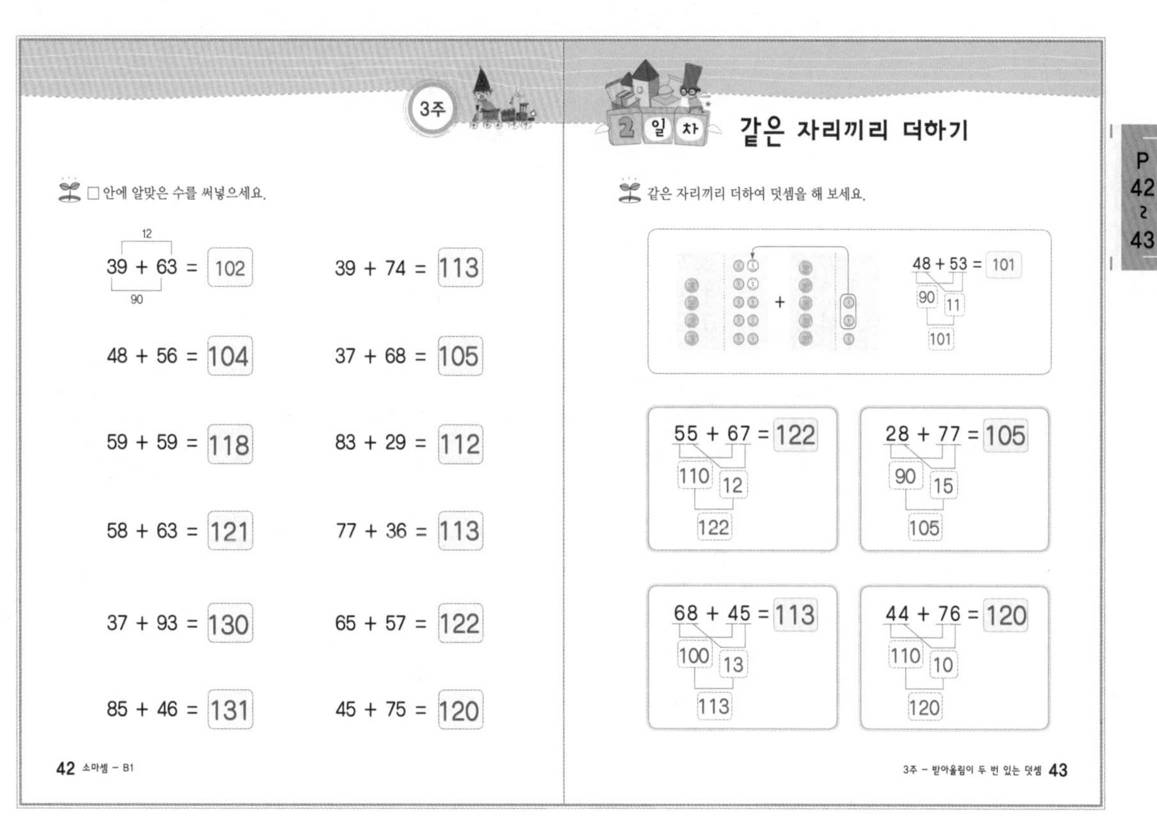
3주

□ 안에 알맞은 수를 써넣으세요.

39 + 63 = 102 (12, 90)

39 + 74 = 113

48 + 56 = 104

37 + 68 = 105

59 + 59 = 118

83 + 29 = 112

58 + 63 = 121

77 + 36 = 113

37 + 93 = 130

65 + 57 = 122

85 + 46 = 131

45 + 75 = 120

42 소마셈 - B1

2일차 같은 자리끼리 더하기

같은 자리끼리 더하여 덧셈을 해 보세요.

48 + 53 = 101 (90, 11, 101)

55 + 67 = 122 (110, 12, 122)

28 + 77 = 105 (90, 15, 105)

68 + 45 = 113 (100, 13, 113)

44 + 76 = 120 (110, 10, 120)

3주 - 받아올림이 두 번 있는 덧셈 43

정답

P 44 ~ 45

3주 월 일

□ 안에 알맞은 수를 써넣으세요.

67 + 46 = 113 (13, 100)	55 + 56 = 111
59 + 42 = 101	78 + 34 = 112
64 + 57 = 121	68 + 56 = 124
75 + 48 = 123	77 + 38 = 115
29 + 84 = 113	51 + 59 = 110
65 + 68 = 133	35 + 88 = 123

3 일 차 세로셈 (1)

일의 자리, 십의 자리의 위치를 맞추어 □ 안에 알맞은 수를 써넣으세요.

일	십	백 십 일
73 + 58 → 1 (3 + 8 = 11)	73 + 58 → 13 (1 + 7 + 5 = 13)	73 + 58 = 131
46 + 96 → 2	46 + 96 → 14	46 + 96 = 142
89 + 61 → 0	89 + 61 → 15	89 + 61 = 150

P 46 ~ 47

3주 월 일

□ 안에 알맞은 수를 써넣으세요.

49 + 76 = 125	68 + 75 = 143	98 + 25 = 123
77 + 78 = 155	36 + 98 = 134	67 + 53 = 120
48 + 64 = 112	82 + 19 = 101	48 + 79 = 127
66 + 57 = 123	54 + 59 = 113	87 + 46 = 133

4 일 차 세로셈 (2)

□ 안에 알맞은 수를 써넣으세요.

57 + 66 = 123	41 + 69 = 110	76 + 57 = 133
53 + 57 = 110	48 + 86 = 134	56 + 66 = 122
47 + 84 = 131	66 + 65 = 131	99 + 25 = 124
57 + 47 = 104	68 + 83 = 151	57 + 49 = 106

P 48 ~ 49

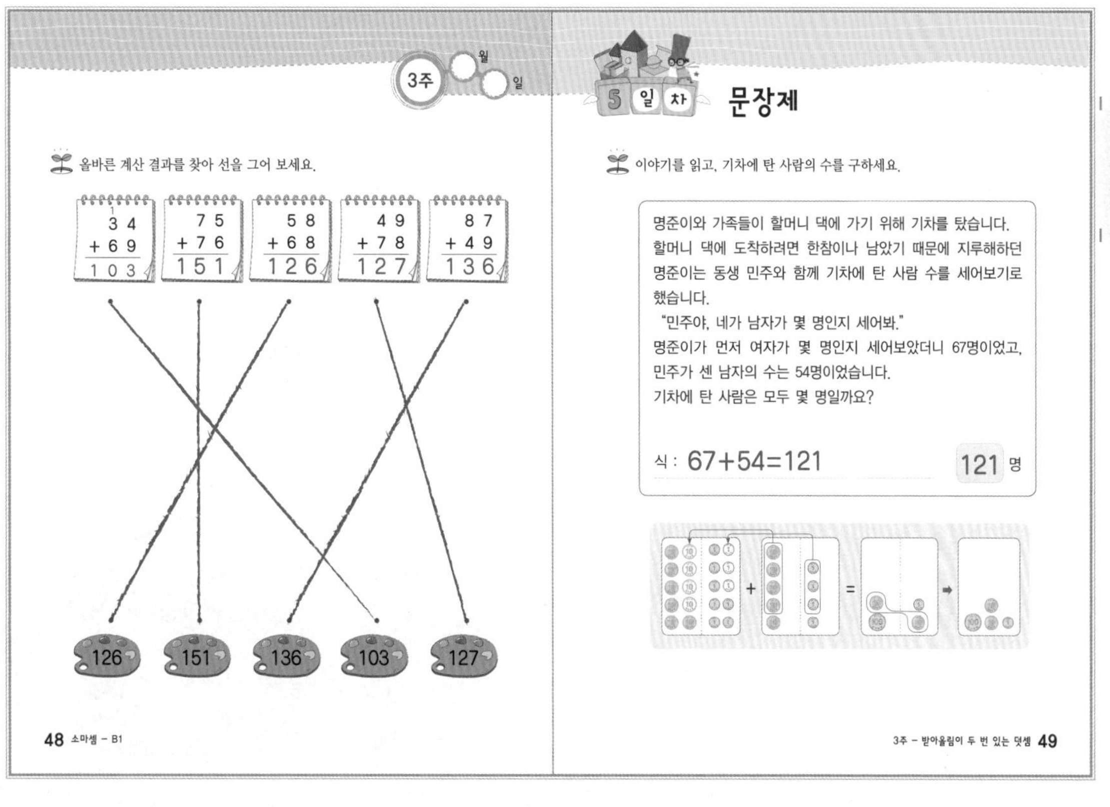

3주 월 일

올바른 계산 결과를 찾아 선을 그어 보세요.

34 + 69 = 103	75 + 76 = 151	58 + 68 = 126	49 + 78 = 127	87 + 49 = 136

126 151 136 103 127

5 일 차 문장제

이야기를 읽고, 기차에 탄 사람의 수를 구하세요.

명준이와 가족들이 할머니 댁에 가기 위해 기차를 탔습니다. 할머니 댁에 도착하려면 한참이나 남았기 때문에 지루해하던 명준이는 동생 민주와 함께 기차에 탄 사람 수를 세어보기로 했습니다.
"민주야, 네가 남자가 몇 명인지 세어봐."
명준이가 먼저 여자가 몇 명인지 세어보았더니 67명이었고, 민주가 센 남자의 수는 54명이었습니다.
기차에 탄 사람은 모두 몇 명일까요?

식 : 67+54=121 121 명

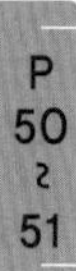
P 50 ~ 51

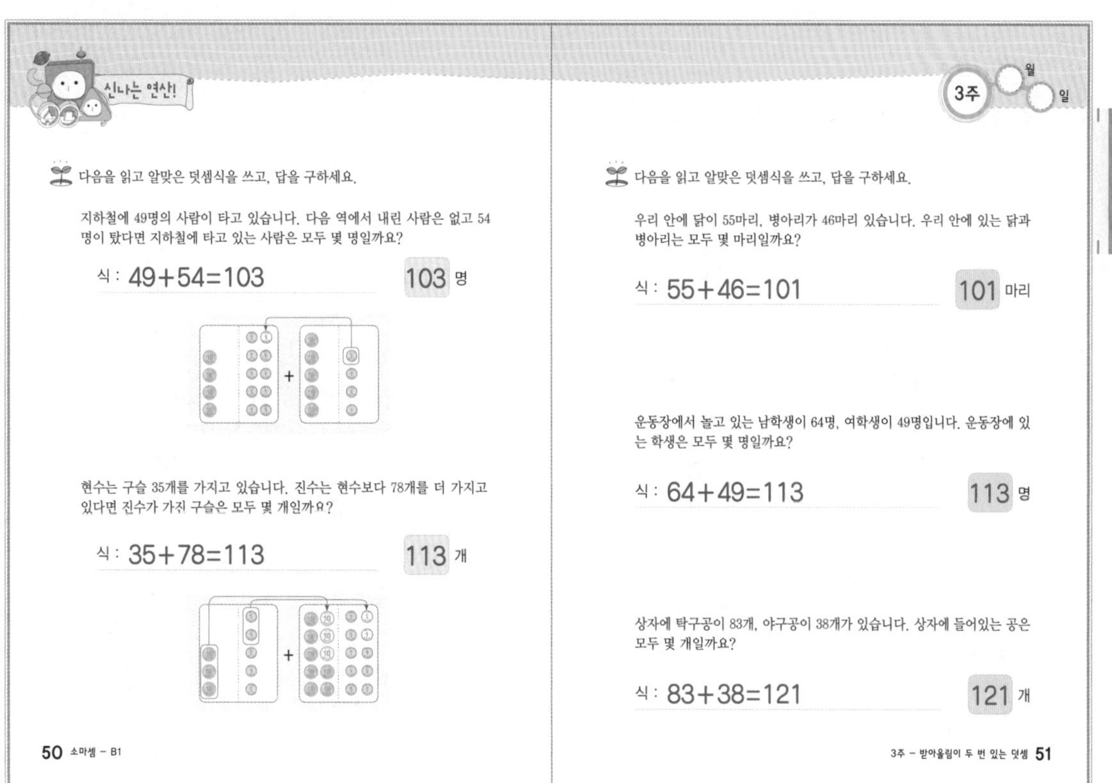

신나는 연산!

다음을 읽고 알맞은 덧셈식을 쓰고, 답을 구하세요.

지하철에 49명의 사람이 타고 있습니다. 다음 역에서 내린 사람은 없고 54명이 탔다면 지하철에 타고 있는 사람은 모두 몇 명일까요?

식 : 49+54=103 103 명

현수는 구슬 35개를 가지고 있습니다. 진수는 현수보다 78개를 더 가지고 있다면 진수가 가진 구슬은 모두 몇 개인가요?

식 : 35+78=113 113 개

3주 월 일

다음을 읽고 알맞은 덧셈식을 쓰고, 답을 구하세요.

우리 안에 닭이 55마리, 병아리가 46마리 있습니다. 우리 안에 있는 닭과 병아리는 모두 몇 마리일까요?

식 : 55+46=101 101 마리

운동장에서 놀고 있는 남학생이 64명, 여학생이 49명입니다. 운동장에 있는 학생은 모두 몇 명일까요?

식 : 64+49=113 113 명

상자에 탁구공이 83개, 야구공이 38개가 있습니다. 상자에 들어있는 공은 모두 몇 개일까요?

식 : 83+38=121 121 개

정답

P 52

3주

다음을 읽고 알맞은 덧셈식을 쓰고, 답을 구하세요.

주머니 안에 노란색 구슬이 78개, 빨간색 구슬이 48개 있습니다. 주머니에 들어있는 구슬은 모두 몇 개일까요?

식 : 78+48=126 　 126 개

연못에 개구리 67마리와 올챙이 65마리가 있습니다. 연못에 있는 개구리와 올챙이는 모두 몇 마리일까요?

식 : 67+65=132 　 132 마리

성주는 어제 동화책을 75쪽 읽었습니다. 오늘은 어제보다 36쪽을 더 읽었습니다. 성주가 오늘 읽은 동화책은 몇 쪽일까요?

식 : 75+36=111 　 111 쪽

52 소마셈 – B1

P 54 ~ 55

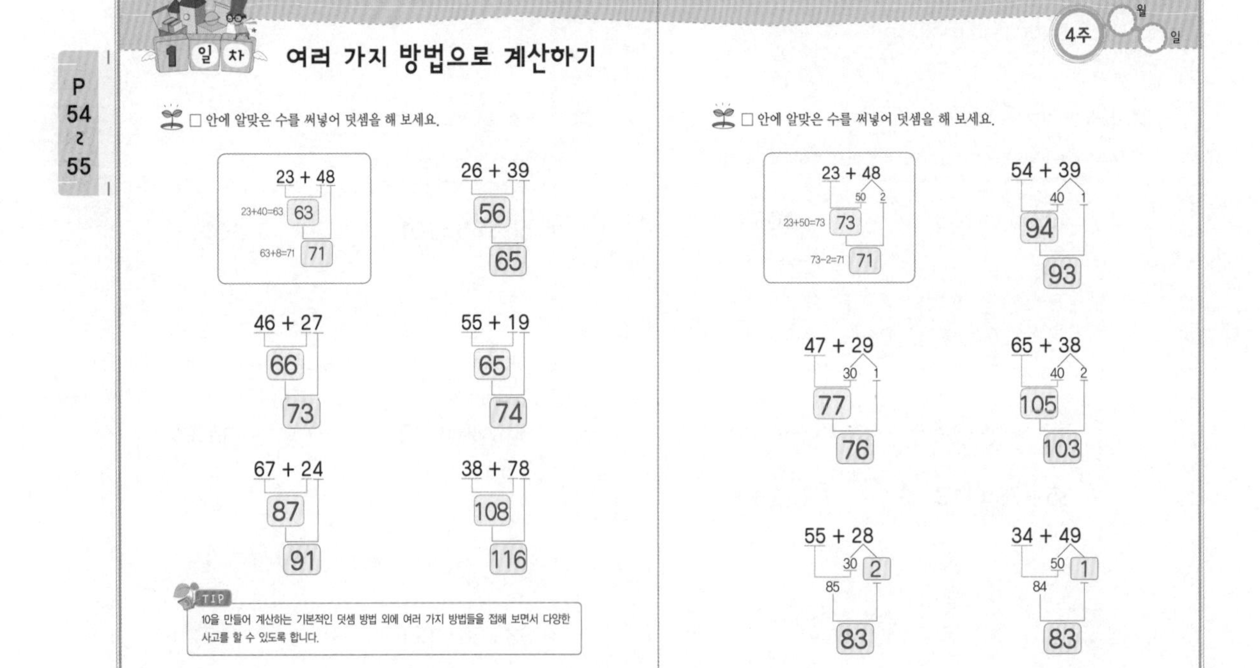

1 일 차 여러 가지 방법으로 계산하기

4주 월 일

□ 안에 알맞은 수를 써넣어 덧셈을 해 보세요.

23 + 48: 23+40=63 → 63, 63+8=71 → 71

26 + 39: 56, 65

46 + 27: 66, 73

55 + 19: 65, 74

67 + 24: 87, 91

38 + 78: 108, 116

TIP
10을 만들어 계산하는 기본적인 덧셈 방법 외에 여러 가지 방법들을 접해 보면서 다양한 사고를 할 수 있도록 합니다.

54 소마셈 – B1

□ 안에 알맞은 수를 써넣어 덧셈을 해 보세요.

23 + 48: 50, 2; 23+50=73 → 73, 73−2=71 → 71

54 + 39: 40, 1; 94, 93

47 + 29: 30, 1; 77, 76

65 + 38: 40, 2; 105, 103

55 + 28: 30, 2; 85; 83

34 + 49: 50, 1; 84; 83

4주 – 두 자리 수의 덧셈 55

P 56 ~ 57

2일차 사다리 세로셈

4주 월 일

덧셈을 하여 빈칸에 알맞은 수를 써넣으세요.

45 + 67 = 112	28 + 68 = 96	56 + 74 = 130
82 + 19 = 101	76 + 37 = 113	35 + 95 = 130
64 + 68 = 132	56 + 77 = 133	89 + 57 = 146

덧셈을 하여 빈칸에 알맞은 수를 써넣으세요.

56 + 39 = 95	18 + 87 = 105	36 + 39 = 75
48 + 89 = 137	76 + 65 = 141	54 + 59 = 113
73 + 57 = 130	69 + 67 = 136	78 + 84 = 162

P 58 ~ 59

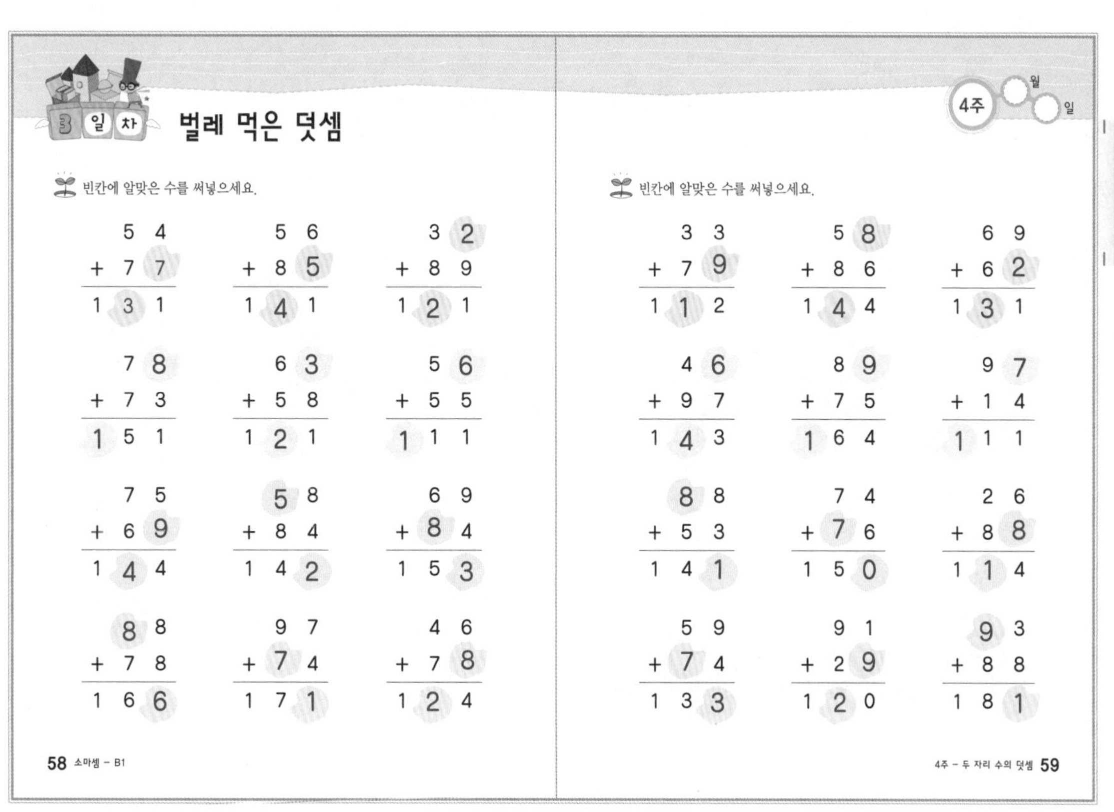

3일차 벌레 먹은 덧셈

4주 월 일

빈칸에 알맞은 수를 써넣으세요.

54 + 77 = 131	56 + 85 = 141	32 + 89 = 121
78 + 73 = 151	63 + 58 = 121	56 + 55 = 111
75 + 69 = 144	58 + 84 = 142	69 + 84 = 153
88 + 78 = 166	97 + 74 = 171	46 + 78 = 124

빈칸에 알맞은 수를 써넣으세요.

33 + 79 = 112	58 + 86 = 144	69 + 62 = 131
46 + 97 = 143	89 + 75 = 164	97 + 14 = 111
88 + 53 = 141	74 + 76 = 150	26 + 88 = 114
59 + 74 = 133	91 + 29 = 120	93 + 88 = 181

정답

P 60 ~ 61

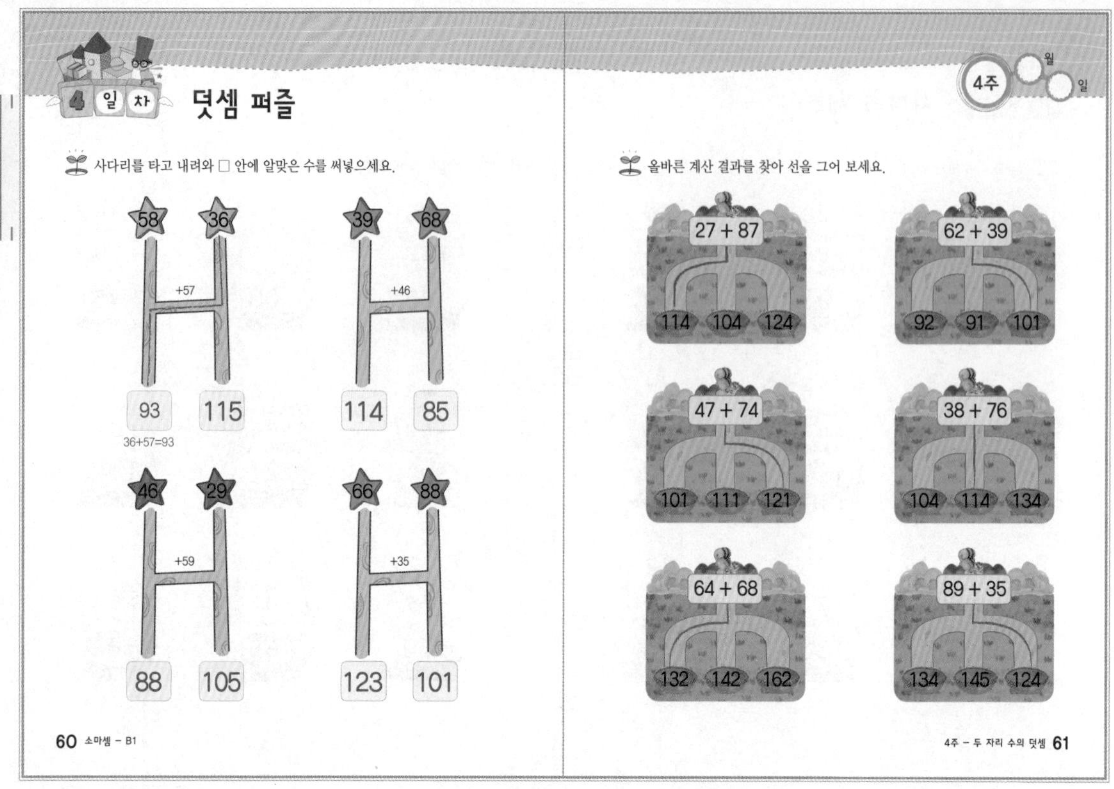
4 일 차
덧셈 퍼즐
사다리를 타고 내려와 □ 안에 알맞은 수를 써넣으세요.
58
36
+57
93
115
36+57=93
39
68
+46
114
85
46
29
+59
88
105
66
88
+35
123
101
60 소마셈 - B1
4주
올바른 계산 결과를 찾아 선을 그어 보세요.
27 + 87
114
104
124
62 + 39
92
91
101
47 + 74
101
111
121
38 + 76
104
114
134
64 + 68
132
142
162
89 + 35
134
145
124
4주 - 두 자리 수의 덧셈 61

P 62 ~ 63

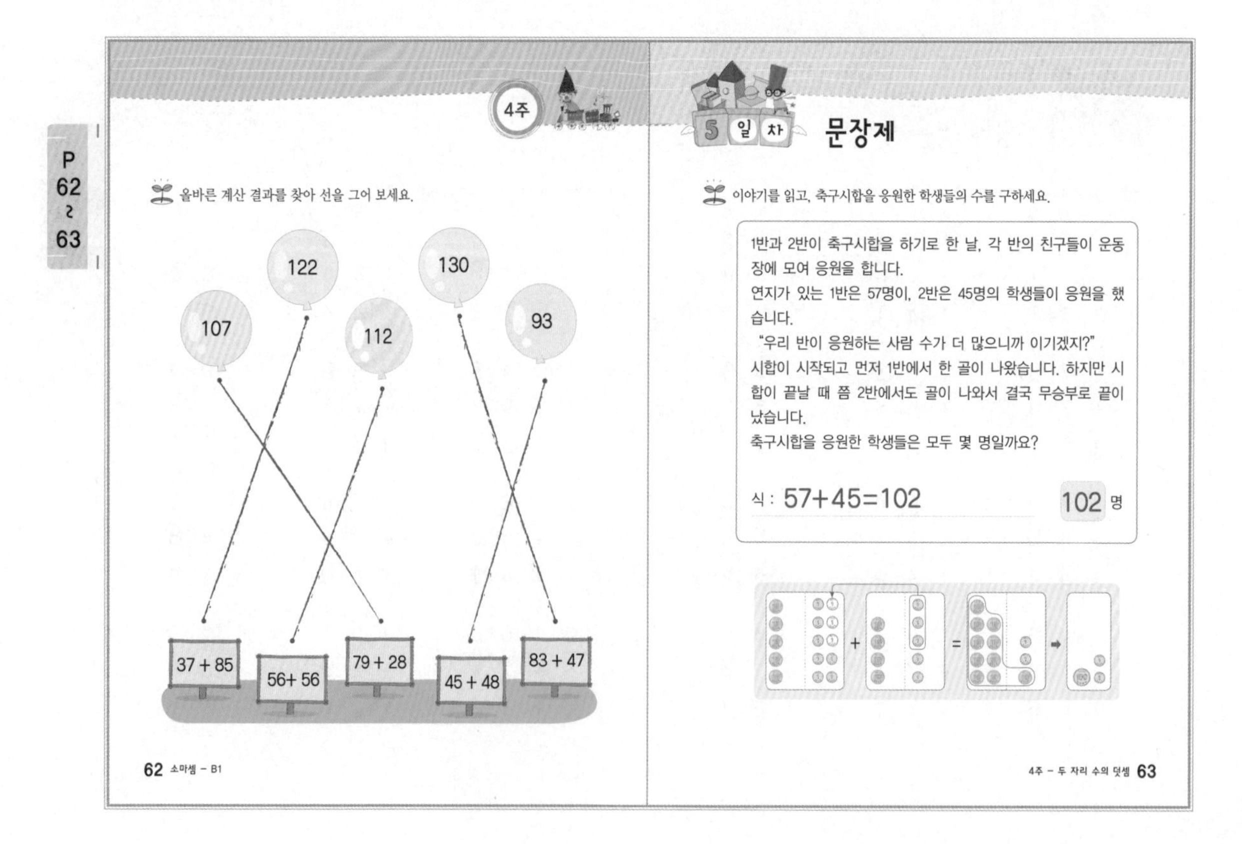
4주
올바른 계산 결과를 찾아 선을 그어 보세요.
122
130
107
112
93
37 + 85
56+ 56
79 + 28
45 + 48
83 + 47
62 소마셈 - B1
5 일 차
문장제
이야기를 읽고, 축구시합을 응원한 학생들의 수를 구하세요.
1반과 2반이 축구시합을 하기로 한 날, 각 반의 친구들이 운동장에 모여 응원을 합니다.
연지가 있는 1반은 57명이, 2반은 45명의 학생들이 응원을 했습니다.
"우리 반이 응원하는 사람 수가 더 많으니까 이기겠지?"
시합이 시작되고 먼저 1반에서 한 골이 나왔습니다. 하지만 시합이 끝날 때 쯤 2반에서도 골이 나와서 결국 무승부로 끝이 났습니다.
축구시합을 응원한 학생들은 모두 몇 명일까요?
식 : 57+45=102
102 명
4주 - 두 자리 수의 덧셈 63

P 64 ~ 65

다음을 읽고 알맞은 덧셈식을 쓰고, 답을 구하세요.

회전목마에 39명의 사람이 타고 있습니다. 48명이 더 탔다면 회전목마에 탄 사람은 모두 몇 명일까요?

식 : 39+48=87 　 87 명

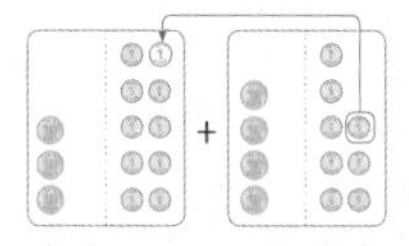

과수원에 사과나무가 68그루, 배나무가 45그루 있습니다. 사과나무와 배나무는 모두 몇 그루일까요?

식 : 68+45=113 　 113 그루

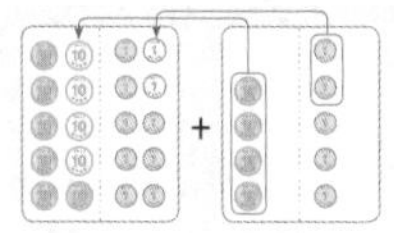

다음을 읽고 알맞은 덧셈식을 쓰고, 답을 구하세요.

주머니에 검은색 바둑돌 28개와 흰색 바둑돌 54개가 들어 있습니다. 주머니에 들어있는 바둑돌은 모두 몇 개일까요?

식 : 28+54=82 　 82 개

성규가 딱지를 65개 모았습니다. 형은 성규보다 39개 더 모았다면 형이 모은 딱지는 모두 몇 개일까요?

식 : 65+39=104 　 104 개

과일가게에서 오늘 사과 46개와 배 74개를 팔았습니다. 오늘 판 과일은 모두 몇 개일까요?

식 : 46+74=120 　 120 개

P 66

다음을 읽고 알맞은 덧셈식을 쓰고, 답을 구하세요.

도서관에 58명의 학생들이 책을 보고 있습니다. 혜지네 반 친구들 39명이 도서관에 갔다면 이 도서관에 있는 학생들은 모두 몇 명일까요?

식 : 58+39=97 　 97 명

우리에 돼지 76마리가 있습니다. 돼지가 45마리 더 들어왔다면 우리에 있는 돼지는 모두 몇 마리일까요?

식 : 76+45=121 　 121 마리

수정이가 이번 주에 수학 문제를 65개, 영어 문제를 47개 풀었습니다. 수정이가 이번 주에 푼 문제들은 모두 몇 개일까요?

식 : 65+47=112 　 112 개

P 68 ~ 69

1주차 drill

세 자리 수 알아보기

100씩 뛰어 세어 빈칸에 알맞은 수를 써넣으세요.

244	344	444	544	644	744	844
190	290	390	490	590	690	790
365	465	565	665	765	865	965
287	387	487	587	687	787	887
155	255	355	455	555	655	755
301	401	501	601	701	801	901

68 소마셈 - B1

10씩 뛰어 세어 빈칸에 알맞은 수를 써넣으세요.

420	430	440	450	460	470	480
356	366	376	386	396	406	416
207	217	227	237	247	257	267
644	654	664	674	684	694	704
587	597	607	617	627	637	647
705	715	725	735	745	755	765

Drill - 보충학습 69

P 70 ~ 71

1주차 drill

1씩 뛰어 세어 빈칸에 알맞은 수를 써넣으세요.

163	164	165	166	167	168	169
284	285	286	287	288	289	290
663	664	665	666	667	668	669
700	701	702	703	704	705	706
816	817	818	819	820	821	822
555	556	557	558	559	560	561

70 소마셈 - B1

규칙을 찾아 빈칸에 알맞은 수를 써넣으세요.

261	361	461	561	661	761	861
705	706	707	708	709	710	711
284	384	484	584	684	784	884
406	416	426	436	446	456	466
326	336	346	356	366	376	386
536	537	538	539	540	541	542

Drill - 보충학습 71

P 72 ~ 73

받아올림이 한 번 있는 덧셈

□ 안에 알맞은 수를 써넣으세요.

$29 + 44 = 73$	$38 + 35 = 73$	$34 + 36 = 70$	$23 + 57 = 80$
$48 + 46 = 94$	$55 + 15 = 70$	$75 + 18 = 93$	$59 + 22 = 81$
$49 + 21 = 70$	$66 + 24 = 90$	$48 + 33 = 81$	$27 + 33 = 60$
$36 + 45 = 81$	$66 + 16 = 82$	$79 + 13 = 92$	$69 + 24 = 93$

□ 안에 알맞은 수를 써넣으세요.

$17 + 55 = 72$	$26 + 45 = 71$	$36 + 36 = 72$	$36 + 47 = 83$
$45 + 46 = 91$	$55 + 18 = 73$	$33 + 38 = 71$	$49 + 22 = 71$
$59 + 25 = 84$	$47 + 14 = 61$	$15 + 75 = 90$	$36 + 37 = 73$
$39 + 25 = 64$	$56 + 34 = 90$	$49 + 43 = 92$	$37 + 35 = 72$

P 74 ~ 75

□ 안에 알맞은 수를 써넣으세요.

$44 + 38 = 82$	$14 + 47 = 61$	$28 + 23 = 51$	$16 + 67 = 83$
$27 + 66 = 93$	$57 + 28 = 85$	$38 + 48 = 86$	$49 + 29 = 78$
$58 + 35 = 93$	$24 + 29 = 53$	$35 + 37 = 72$	$53 + 38 = 91$
$44 + 49 = 93$	$23 + 39 = 62$	$46 + 16 = 62$	$76 + 16 = 92$

□ 안에 알맞은 수를 써넣으세요.

$56 + 25 = 81$	$38 + 35 = 73$	$29 + 19 = 48$	$38 + 37 = 75$
$62 + 18 = 80$	$24 + 26 = 50$	$43 + 37 = 80$	$65 + 16 = 81$
$17 + 77 = 94$	$25 + 67 = 92$	$47 + 35 = 82$	$26 + 39 = 65$
$37 + 39 = 76$	$45 + 35 = 80$	$67 + 13 = 80$	$54 + 28 = 82$

P 76 ~ 77

3주차 drill

받아올림이 두 번 있는 덧셈

□ 안에 알맞은 수를 써넣으세요.

59 + 46 = 105	65 + 65 = 130	74 + 37 = 111	68 + 47 = 115
88 + 45 = 133	57 + 65 = 122	75 + 58 = 133	58 + 52 = 110
49 + 74 = 123	86 + 27 = 113	96 + 34 = 130	77 + 46 = 123
66 + 45 = 111	63 + 69 = 132	39 + 73 = 112	69 + 52 = 121

76 소마셈 – B1

□ 안에 알맞은 수를 써넣으세요.

47 + 55 = 102	66 + 44 = 110	74 + 36 = 110	88 + 43 = 131
75 + 46 = 121	56 + 58 = 114	73 + 37 = 110	79 + 26 = 105
59 + 74 = 133	97 + 13 = 110	39 + 85 = 124	96 + 37 = 133
79 + 45 = 124	56 + 56 = 112	49 + 76 = 125	85 + 85 = 170

Drill – 보충학습 77

P 78 ~ 79

□ 안에 알맞은 수를 써넣으세요.

62 + 88 = 150	76 + 47 = 123	48 + 83 = 131	36 + 67 = 103
64 + 46 = 110	55 + 88 = 143	14 + 98 = 112	63 + 57 = 120
68 + 34 = 102	96 + 24 = 120	67 + 37 = 104	56 + 86 = 142
67 + 39 = 106	65 + 39 = 104	47 + 96 = 143	75 + 56 = 131

78 소마셈 – B1

□ 안에 알맞은 수를 써넣으세요.

56 + 57 = 113	98 + 34 = 132	29 + 92 = 121	58 + 66 = 124
62 + 78 = 140	84 + 28 = 112	74 + 27 = 101	65 + 36 = 101
37 + 79 = 116	65 + 67 = 132	97 + 38 = 135	21 + 99 = 120
83 + 39 = 122	65 + 35 = 100	67 + 53 = 120	56 + 48 = 104

Drill – 보충학습 79

두 자리 수의 덧셈

□ 안에 알맞은 수를 써넣으세요.

$24 + 39 = 63$	$77 + 45 = 122$	$28 + 64 = 92$	$46 + 59 = 105$
$56 + 56 = 112$	$57 + 36 = 93$	$84 + 48 = 132$	$79 + 14 = 93$
$75 + 55 = 130$	$58 + 68 = 126$	$35 + 97 = 132$	$63 + 28 = 91$
$14 + 69 = 83$	$29 + 39 = 68$	$48 + 86 = 134$	$76 + 24 = 100$

□ 안에 알맞은 수를 써넣으세요.

$57 + 26 = 83$	$43 + 39 = 82$	$86 + 34 = 120$	$76 + 67 = 143$
$36 + 46 = 82$	$55 + 27 = 82$	$34 + 98 = 132$	$59 + 54 = 113$
$69 + 24 = 93$	$97 + 23 = 120$	$55 + 75 = 130$	$67 + 67 = 134$
$89 + 13 = 102$	$76 + 35 = 111$	$39 + 46 = 85$	$75 + 85 = 160$

P 80 ~ 81

□ 안에 알맞은 수를 써넣으세요.

$56 + 64 = 120$	$58 + 35 = 93$	$69 + 71 = 140$	$64 + 86 = 150$
$52 + 79 = 131$	$48 + 33 = 81$	$64 + 18 = 82$	$75 + 58 = 133$
$47 + 88 = 135$	$69 + 64 = 133$	$94 + 48 = 142$	$31 + 69 = 100$
$54 + 49 = 103$	$85 + 35 = 120$	$27 + 56 = 83$	$56 + 29 = 85$

□ 안에 알맞은 수를 써넣으세요.

$43 + 79 = 122$	$38 + 37 = 75$	$68 + 26 = 94$	$46 + 77 = 123$
$87 + 16 = 103$	$87 + 88 = 175$	$58 + 54 = 112$	$69 + 81 = 150$
$64 + 57 = 121$	$24 + 68 = 92$	$76 + 37 = 113$	$38 + 39 = 77$
$54 + 48 = 102$	$87 + 39 = 126$	$49 + 56 = 105$	$66 + 68 = 134$

P 82 ~ 83

Note